KB042193

6

비트겐슈타인 선집

확실성에 관하여

비트겐슈타인 선집 6

확실성에 관하여

Über Gewißheit

루트비히 비트겐슈타인 :: 이영철 옮김

책세상

일러두기

1. 이 책은 루트비히 비트겐슈타인의 *Über Gewißheit*(Oxford: Blackwell, 1969)를 번역한 것이다.
2. 원서에서 강조된 것은 고딕체로 표시했다.
3. 맞춤법과 외래어 표기는 1989년 3월 1일부터 시행된 〈한글 맞춤법 규정〉과 《문교부 편수자료》, 《표준국어대사전》(국립국어연구원, 1999)에 따랐다.

차례 | 확실성에 관하여

*

옮긴이의 말

이 책은 비트겐슈타인의 스완송, 백조의 노래다. 이 책은 그가 1949년 11월에 암 판정을 받은 이후 자신의 죽음을 예견하면서 쓴 글들을 엮은 것으로, 그의 마지막 작품에 해당한다. 비록 쓰인 후 한 번도 다듬어지지 않은 미완성의 초고이고 또 분량도 얼마 되지 않지만, 이 책은 그 속에 담긴 철학적 고찰들의 참신성과 심오함에서, 그리고 그 고찰들을 수행해 나가는 달관한 듯 자유로우면서도 치열한 태도에서 강한 매력과 심지어 감동까지 느낄 수 있는 걸작이다.

오늘날 어떤 사람들은 이 작품을 비트겐슈타인의 제3의 대표작으로 보기도 한다. 그의 두 주저로 꼽히는 《논리-철학 논고》와 《철학적 탐구》에 이어 그 다음으로 중요하다는 뜻에서가 아니라, 그것들 못지 않은 중요성을 지니면서 또 한 시기(《탐구》 제1부 완성 이후)를 대표하는 작품이라는 뜻에서 말이다. 시기 구분의 문제야 전문적이고 논란이 있을 수 있는 문제이지만,

어떻든 이 작품에서 비트겐슈타인의 마지막 철학 혼은—말년에 불후의 현악사중주들을 남긴 베토벤과 비슷하게—병으로 인한 고통 속에서도 그의 최전성기 때와 비교해 조금도 손색없이, 또는 심지어 어떤 점에서는 더 찬란하게 빛났다고 보인다.

이 책은 비트겐슈타인이 죽기 대략 일 년 반 전부터 죽기 직전까지 몰두했던 특정한 주제, 즉 '앎'과 '확실성'의 문법과 관련된 고찰들로 이루어져 있다. 비트겐슈타인은 1949년 7월 말 제자이자 친구인 노먼 맬컴(Norman Malcolm)의 오래전부터의 초청을 받아들여 미국의 이타카를 방문해 약 3개월 동안 체류한다. 맬컴은 그해 초 무어[1]의 '상식의 옹호'에 관해 논문을 발표한 바 있었고 또 그 논문의 비판적인 부분에 대해 무어로부터 편지로 응답을 받은 바 있었는데, 이와 관련된 문제를 미국에 온 비트겐슈타인과 같이 토론했다. 비트겐슈타인은 이전에도 '앎', '믿음', '근거/이유', '정당화', '의심', '확실성' 등과 같은 인식론적 개념들에 대해 관심을 보이지 않은 것은 아니지만,[2] 맬컴과의 토론은 그가 이러한 주제에 관해 특별히 무어의 경우를 통해 새롭게, 그리고 본격적으로 몰두하도록 자극을 주었다. 이 책을 구성하는 고찰들은 이러한 자극의 결과로 나온 것이다.

고찰들이 작성된 시기는 네 부분으로 나뉜다. 현재 유고 번호 MS 172에 속하는 첫 번째 부분(1~65절)은 날짜가 적혀 있지 않지만, 이 책의 편집자 중 한 사람인 앤스콤에 의하면, 비트겐슈타인이 미국에서 돌아온 해의 크리스마스부터 다음해 3월까지 빈에서 머무르면서 썼을 것이라고 한다. (최근의 시디롬 유고에는 1950년 1월에 작성된 것으로 되어 있다.) 유고 번호

1 무어(George Edward Moore, 1873~1958)는 영국 케임브리지 대학 교수를 역임한 철학자로, 《윤리학 원리》(*Principia Ethica*), 《윤리학》(*Ethics*) 등의 저서가 있고, 주요 논문으로는 〈관념주의 반박〉, 〈상식의 옹호〉 등이 있다. 비트겐슈타인은 케임브리지 대학 재학 시절에 무어의 강의를 들었으며, 후일(1939년) 무어의 교수직을 계승했다.

2 가령 "원인과 결과: 직관적 포착", 《철학적 탐구》(II부 xi) 등 참조.

MS 174에 속하는 두 번째 부분(66~192절)은 1950년 4월에, 유고 번호 MS 175에 속하는 세 번째 부분(193~299절)은 1950년 9월에 작성되었다. 네 번째 부분(300~676절)은 일부(300~425절)는 MS 175에 속하고 그 나머지는 MS 176에 속하는데, 이 책에 기록되어 있다시피, 1951년 3월 10일부터 4월 27일까지, 그러니까 그가 죽기 이틀 전이자 완전히 의식을 잃기 전날까지 약 한 달 반 동안에 작성되었다. 이 유고들 가운데에는 색채에 관한 고찰과 같은 다른 고찰들이 섞여 있는 경우도 있지만, 이 책을 이루는 고찰들은 별도로 분리 표시되어 있다. 그러므로 이 책은 선별 모음이 아니라, 그렇게 별도로 취급된 주제에 대한 고찰들을 있는 그대로 엮은 것이다.

이 책은 직접적으로는 무어의 경우를 중심으로 고찰이 진행되고 있지만, 그 내용은 데카르트 이래의 인식론적인 근본 문제들과 분명히 연결된다.[3] 그러므로 철학사를 조금이라도 아는 사람들에게는 이 책의 논의가 지닌 의의가 더 쉽게 파악될 수 있을 것이다. 그리고 이런 의미에서 비트겐슈타인의 이 마지막 작품은 오히려 그의 철학에 대한 입문으로 적합할 수도 있다. 실제로 이 책은 군데군데 유머러스하달까 순진무구하달까, 우화적인 분위기("풍차들과 싸우는 경향")를 풍기는 대목들을 포함하고 있어, 아마도 비트겐슈타인의 다른 책들보다는 읽는 재미를 느낄 수 있을 것이다.

이는 물론 이 책이 반드시 쉽게 읽힐 것이라는 말은 아니다. 이 책은 완전한 초고로 이루어져 있고, 그런 만큼 어떤 부분들에서는 결정적이지 않거나 일관적이지 않게 보이기도 하기 때문이다. 그러므로 이하에서 최소한 이 책의 핵심이라고 할 수 있는 것에 대한 약간의 해설 또는 요약이 독자를 위해 필요할 것으로 생각된다.

무어는 "외적 세계의 증명"이란 논문에서 관념주의와 회의주의에 대항하

---

3 이 책에서 논의되는 무어의 명제들 중 상당수는 데카르트가 이른바 방법적 회의의 과정에서 그 확실성을 의심했던 명제들과 관계된다.

여 주장하기를, 자기는 외부 사물들의 존재를 수많은 다른 방식으로 증명할 수 있다고 한 바 있다. 예를 들면, 자신의 두 손을 들어 올려 오른손으로 어떤 제스처를 하면서 "여기에 한 손이 있다"라고 말하고, 왼손으로 어떤 제스처를 하면서 "여기에 또 한 손이 있다"라고 덧붙임으로써, 두 손이 존재한다—그리고 따라서 외부 사물들이 존재한다—는 것을 증명할 수 있다는 것이다. 또 무어는 "상식의 옹호"라는 논문에서는, 자기는 수많은 명제들에 대해 그것들이 참이라는 것을 확실하게 안다고도 주장하였다. 예를 들면, "나의 몸이 …… 존재한다", "이 몸은 과거 어느 시간에 태어났고, 그 후 계속해서 존재해 왔다", "나는 지구 표면에서 멀리 떨어져 본 적이 없다", "지구는 내가 태어나기 전에 오랫동안 존재해 왔다", "나는 인간이다" 등과 같이 '너무 명백하고 진부한 것들이어서 진술할 만한 가치가 없어 보이는' 명제들이 그런 명제들이라는 것이다. 이러한 '상식적인' 명제들에 대해 '나는 안다'고 하는 무어의 주장들을 가리켜 이른바 '무어의 명제들'(86절)이라고 한다.

비트겐슈타인은 무어가 중요한 종류의 명제들에 주목했지만, 그의 주장들은 근본적인 점에서 몇 가지 문제를 지니고 있다고 본다. 우선 우리는 정상적인 상황에서는 저 상식적 명제들에 대해서 그것들이 참임을 '안다'고 말할 수 없다. (특정한 상황에서 철학적인 의도 없이 그렇게 말할 수는 있으나, 그것은 무어가 생각했던 반-회의주의적 효력을 가질 수 없다.) 정상적으로는, '안다'라는 말은 어떤 조건들 하에서만 사용될 수 있다. 가령, '안다'고 할 수 있는 것에 대해서는 실수나 무지, 의심, 확인과 같은 것의 가능성도 이야기될 수 있어야 한다. 또 그것에 대해서는 어떻게 그것을 알았는지를 (원리상) 말할 수 있어야 하고, 어떤 그럴듯한 근거들을 제시할 준비가 되어 있어야 한다. 그러나 무어의 명제들은 이런 조건들을 충족하는 것들이 아니다. 그것들은 정상적인 상황에서는 쓰일 수 없는, 뜻이 없거나 매우 불명료한 말들이다.

또한 '나는 …… 안다'라는 무어의 단언들은 그가 이러저러한 것들을 안다고 확신한다는 것을 보여 줄 수는 있으나, 그가 그것들을 안다는 것을 보여 주지는 않는다. 무어는 이러저러한 것들에 대한 확신 또는 확실성으로부터 그것들을 안다는 주장으로 나아갔다. 이 점에서 무어는 앎의 문제를 확실성의 추구로 본 전통 인식론의 입장과 다르지 않다. 그러나 비트겐슈타인에 의하면, 확실성은 앎을 보장하지 않는다. 주관적 확실성(완전한 확신, 모든 의심의 부재)은 물론, 객관적 확실성(오류가 더는 생각될 수 없음, 오류의 가능성이 논리적으로 배제됨)도 그렇다. 앎은 앞에서 말한 조건들을 필요로 하며, 이 점에서 확실성과 앎은 범주가 다르다. 무어는 '나는 …… 안다'를 가령 '나는 고통스럽다'와 같이 거의 의심될 수 없는 발언으로 간주한 점에서, 그리고 '나는 p를 안다'에서부터 'p'가 따라 나오므로, 이 후자도 의심될 수 없다고 간주한 점에서 잘못을 범했다.

그러나 무어의 명제들에서 중요한 것(비트겐슈타인이 흥미롭게 생각하는 것)은 무어가 무엇을 확실하게 아는가가 아니라, 그가 그렇게 '안다'고 말하고 싶어 한 명제들이다. 그것들은 경험 명제들—또는 그런 형식을 한 명제들—이지만, "왜 사람이 그 반대를 믿어야 할지 상상하기 어려운"(그 반대를 믿는 사람은 정신 나간 사람으로 여겨질) 그런 것들로서, "우리의 경험 명제들의 체계 내에서 독특한 논리적 역할을 하는 명제들"이다. 그것들은 "먼 옛날부터 우리의 모든 고찰들의 골격에 속해" 온 '확고한' 것들이며, "그것을 확고하다고 간주하는 것은 우리의 의심과 탐구의 방법에 속한다". 그것들은 말하자면 우리의 "물음들과 의심들의 지도리[樞軸]", "모든 판단의 기초", "언어놀이들의 흔들리지 않는 기초", "행위와 사고의 기초", "그 위에서 참과 거짓을 구분하는 전승된 배경"에 해당되며, 일종의 '세계상' 내지 '신화'라고도 이야기된다.

그런데 이러한 확고한 지위—이른바 '축(軸) 명제들'의 규범적 지위—는 그것들 자체가 본래적으로 지니는 것이 아니라, 나머지 경험 명제들과의 관계에서 상대적으로 주어지는 것이다. 즉, 그 축의 확고성은 축 자체의 고정성에서 나오는 것이 아니라, "그것 둘레의 운동이 그것을 부동적인 것으로 확정한다". 이러한 역학 관계를 비트겐슈타인은 강물의 흐름을 떠받치면서 그 흐름의 영향을 받아 위치를 옮기는 강바닥(96~97절)이나 집 전체에 의해 떠받쳐지는 기초벽(248절)이라는 뛰어난 비유로 나타내고 있다. 경험 명제와 축 명제는 원래부터 명확히 분리되어 있는 것이 아니라, 시간과 더불어 변하는 명제들의 역할 차이에 의해서 구별된다는 것이다.

그러므로 축 명제들은 그것들을 떠받치는 주위의 모든 것이 변하면 그 확고한 지위를 잃을 수도 있다. 그렇다고 이것이 무어가 반박하고자 했던 회의주의를 용인하는 것은 아니다. 축 명제들은 모든 판단의 확고한 기초이기 때문에, 그것들보다 더 확실한 어떤 것에 의해 정당화될 수는 없다. 그러나 그것들은 또한 의심 가능하지도 않다. 왜냐하면 그것들은 의심하는 놀이의 토대이기도 하기 때문이다. 앎과 마찬가지로 의심은 언어놀이를 떠나서 또는 언어놀이 이전에 성립할 수 없고, 따라서 언어놀이가 성립하기 위한 조건들을 전제로 한다. (이 점을 회의주의자와 관념주의자, 그리고 무어는 똑같이 간과하였다.) 축 명제들은 '언어놀이들의 흔들리지 않는 기초'를 이루므로, 의심의 놀이는 축 명제들이 지니는 확실성을 토대로 해서만 가능하다. 그리고 그렇다면 축 명제들까지 포함하여 "모든 것을 의심하는 의심은 아무런 의심도 아닐 것이다"(450절). 정당화와 마찬가지로 의심에는 끝이 있으며, 그 한계를 넘어가려는 회의주의는 무의미해질 뿐이다.

대충 이상과 같은 것이 이 책의 핵심적 내용을 이룬다고 할 수 있을 터인데, 결국 비트겐슈타인이 생각하는 확실성은 개인적 자아의 의식을 분석해 들어가서 얻어지는 어떤 하나의 원리이자 나머지 앎을 끌어낼 수 있는 제일의 앎 또는 앎의 불변적 패러다임이 되는 그런 것이 아니다. 그가 생각하는 확실성은 앎의 놀이를 포함한 언어놀이들의 토대이기는 하지만 앎과는 구별되는 것이며, 명시적으로 의식되는 것이라기보다는 우리의 일상적 행위들이 전제하고 있는 것으로 드러나는 다수의 사소해 보이는 것들이며, 사회적으로 성취되고 시간의 흐름에 따른 상황 변화에 따라 변동될 수 있는 것들이다. 그것들은 '삶의 형태'와 결부되어 있다고 할 수 있는 것으로서, "정당화된다 안 된다를 넘어서 있는 어떤 것", '동물적인 어떤 것'이다. (그리고 이러한 것에 기초하는 것으로서의 우리의 언어놀이는 지식에 기초한다고 할 수 없다. 언어놀이는 이성적이지도 비이성적이지도 않다. "그것은 거기에 있다—우리의 삶처럼."(559절))

그 밖에도 이 책에는 교육과 학습의 기초, 타문화의 이해와 상대주의 등의 문제에 대한 (함축을 지니는) 흥미로운 언급들이 확실성에 관한 고찰과 연결되어 포함되어 있다. 마지막 날짜의 고찰들—특히 마지막 고찰—은 그가 죽기 이틀 전이자 완전히 의식을 잃기 전날의 것인데, 이미 의식을 잃곤 하는 자신의 경우를 염두에 두고 문제를 다루고 있으면서도 놀랍도록 명철한 것이 인상적이다.

비트겐슈타인의 생각은 여러 가지 점에서 무어와 대조되고 또 무어에 대한 엄정한 비판들을 포함하고 있지만, 한편으로 그의 작업은 어떻게 보면 그가 《문화와 가치》에서 자신의 사유의 특징이라고 일컬은 '유태적 재생산성', 즉 다른 누군가에 의해 주어진 사유 노선을 열정적으로 받아들여 그것을 명료화하는 작업에서 벗어나지 않았다고 볼 수도 있다. 다시 말해서, 비록 무어의 주장에 어떤 문제들이 있다고 하더라도, 무어의 생각에는 우리가 주목해야 할 중요한 어떤 씨앗이 포함되어 있으며, 비트겐슈타인은 이것을 올바로 그리고 명료하게 싹 틔우는 작업을 해냈다는 것이다. 그 씨앗이 전적으로 무어의 것이었다고만은 할 수 없겠지만, 어쨌든 이러한 작업으로써 비트겐슈타인은 그가 한때 배웠고 교수 자리를 물려받았으며 또 인간적으로도 존경했던 선생에 대한 보답을 한 셈이 될 것이다. 비트겐슈타인과 무어, 이 두 사람은 현재 케임브리지 시 교외의 같은 묘지에 묻혀 있다.

비트겐슈타인의 이 작품은 1969년 영국 블랙웰(Blackwell) 출판사에서 '*Über Gewißheit/On Certainty*'라는 제목으로 독-영 대역본으로 처음 출판되었다. 역자가 번역 텍스트로 삼은 것은 같은 출판사의 1979년도 판 독일어 원문이다. 일부 대목에서는 최근(2000년) 옥스퍼드 대학교에서 시디롬으로 나온 비트겐슈타인의 유고(*Nachlass*)와 대조하여 유고 쪽을 취하거나 또는 어쨌든 그것과 대조되는 점을 표시하기도 했다. 영어 번역을 참조하였고 또 간혹 어떤 부분의 번역은 프랑스 갈리마르(Gallimard) 출판사의 불어 번역(1976)을 참조하여 결정하기도 하였다. 본문 시작 전에 삽입된 비트겐슈타인의 자필 원고 사진은 블랙웰 판에는 없는 것으로서, 독일 주어캄프(Suhrkamp) 출판사 판본(1970)에 실려 있는 것이다.

옮긴이는 이 책을 1990년에 처음 번역한 바 있다. 그동안 한 번 수정한 바 있었지만 미흡했다. 이번에 비트겐슈타인 선집을 내면서 전면적으로, 나름대로 최선을 다하여 수정하였으나 어떨지 모르겠다. 독자 제현의 질정을 바란다.

개정판을 펴내며

사실상의 개정은 초판의 마지막 쇄에서 이미 대부분 이루어졌다. 이번에 거기에 아직도 남아 있던 일부 부정확한 표현과 군더더기 표현을 바로잡고 옮긴이주 일부를 수정하면서 '개정판'으로 이름하여 낸다. 명(名)과 실(實)이 이제야 부합하게 된 것에 대해 독자의 양해를 구한다.

*

편집자 서문

우리가 여기에 출판하는 것은 비트겐슈타인의 생애 마지막 일 년 반 동안의 것이다. 1949년 중반에 그는 노먼 맬컴(Norman Malcolm)의 초청으로 미국을 방문하여 이타카에 있는 맬컴의 집에 머물렀다. 맬컴은 그가 무어의 '상식의 옹호'에 관해 몰두하도록 새로운 자극을 주었다. 무어는 수많은 명제에 관하여 자기는 그것들이 참임을 확실하게 안다고 주장한 바 있었다. 예컨대 "여기에 손이 하나 있다, 그리고 여기에 다른 한 손이.", "지구는 내가 태어나기 전에 오랫동안 존재했다.", 그리고 "나는 지구 표면에서 멀리 떨어져 본 적이 없다." 이 명제들 중 첫 번째 것은 무어의 '외적 세계의 증명'이라는 논문에, 다른 둘은 '상식의 옹호'에 들어 있다. 비트겐슈타인은 이미 오래전부터 이 글들에 흥미를 갖고 있었으며, 무어에게 이것이 그의 가장 좋은 논문이라고 말한 바 있다. 무어는 동의하였다. 여기 이 책은 비트겐슈타인이 그때 이후 죽을 때까지 이 주제에 관해서 쓴 모든 것을 포함하고 있다. 이 책은 완전히 초고들로 이루어져 있다. 그는 이 초고를 정리하고 다듬지 못한 채 세상을 떠나고 말았다.

그 기록들은 네 부분으로 나뉜다. 우리는 §65, §192, §299에서 그 구분을 표시하였다. 우리의 생각에 가장 처음인 부분은 사무용 괘선지 20장에 철해지지 않은 채 날짜 없이 쓰여졌다. 비트겐슈타인은 이것들을 옥스퍼드의 앤스콤(G. E. M. Anscombe) 집에 있는 그의 방에다 남겨 놓았는데, 그곳에서 그는 (가을에 노르웨이를 방문한 것을 빼면) 1950년 4월부터 1951년 2월까지 거주했다. 나(앤스콤)는 그가 그것들을 1949년 크리스마스부터 다음 해 3월까지 빈에 머무르는 동안 썼다는 인상을 받았다. 그러나 이제 나는 이런 인상이 무엇으로부터 유래하는지는 기억해 낼 수 없다. 나머지 부분들은 조그만 공책들 속에 들어 있고 날짜들을 포함하고 있다. 끝부분으로 가면 기록 일자가 거의 항상 기입되어 있다. 마지막 기록은 그의 죽음(1951년 4월 29일) 이틀 전으로 되어 있다. 우리는 날짜들을 전적으로 원고에 있는 대로 놔두었다. 그러나 개별 단편들의 번호는 편집자들에 의한 것이다.

이 작품은 그 자체만으로 출판되는 것이 적절하다고 보였다. 이것은 선별 모음이 아니다. 비트겐슈타인의 공책들 속에서 이것은 독립된 주제로 표시되어 있다. 그는 마지막 일 년 반 동안 넷으로 구분되는 시기에 이 주제에 몰두했다고 보인다. 이 작품은 그 주제를 연관성 있게 다룬 유일한 것이다.

G.E.M. 앤스콤

G.H. 폰브리크트

will's Dir zeigen" & ziehe meine Schuhe aus. Wenn er sich nun wunderte, daß ich mit solcher Sicherheit es wußte, obwohl ich meine Zehen nicht gesehen hatte. – Sollte ich da sagen: "Wir Menschen wissen, daß wir soviel Zehen haben, ob wir sie sehen oder nicht"?

26. 3. 51

"Ich weiß, daß dieses Zimmer auf dem zweiten Stock ist, daß hinter der Tür ein kurzer Gang zur Treppe führt, etc." Es ließen sich Fälle denken, wo ich diese Äußerung machen würde, aber es wären recht seltene Fälle. Anderseits aber zeige ich dieses Wissen tagtäglich durch meine Handlungen & auch in meinen Reden.

본문 430절과 431절 일부의 친필 유고 사진

1. 여기에 손[1]이 있다는 것을 당신이 안다면, 우리는 당신에게 나머지 모든 것을 인정한다.[2]

---

1 (편집자주) G. E. Moore, "Proof of an External World"(*Proceedings of the British Academy* 제25권, 1939에 수록)와 "Defence of Common Sense"(*Contemporary British Philosophy*, 2nd Series, ed. J. H. Muirhead, 1925에 수록)를 보라. 두 논문 모두 그의 *Philosophical Papers*(London: George Allen and Unwin, 1959)에 실려 있다.

2 (옮긴이주) 잘 알려져 있다시피, 이른바 방법적 회의의 과정에서 데카르트는 자신의 손의 존재 같은 것들에 대해서조차 의심할 수 있다고 말한 바 있다. 무어는 외부 세계의 실재를 회의하거나 부정하는 회의주의자와 관념주의자에 대한 반박으로, 예컨대 (자신의 손을 들어 올리며) '나는 여기에 손이 있다는 것을 안다'라고 주장하였다. 이에 대한 비트겐슈타인의 반응은, 무어가 그 자신의 손이 존재함을 안다면, 그리고 손이 물리 세계에 속하는 것이라고 할 수 있는 한, 그로부터 외적 세계의 존재에 관한 무어의 나머지 주장들이 도출될 수는 있겠지만, 그러한 도출이 외적 세계의 존재를 증명해 주지는 않는다는 것이다. 왜냐하면 자신의 손의 존재로부터 도출된 외적 세계의 존재가 자신의 손의 존재 자체보다 더 확실하지 않을 수 있고, 따라서 그러한 도출에 요점이 없다고 할 수 있기 때문이다. 그러므로 비트겐슈타인의 첫 문장은 그것의 후건에 대한 부정을 함축하고 있고, 전건(자신의 손의 존재에 대한 앎의 주장)에 대한 의문을 내포한다고 볼 수 있다. 여기서 비트겐슈타인은 무어가 주장하는 앎에 대한 비판을 함축하는 말로 시작하고

(이러이러한 명제가 증명되지 않는다고 말한다면, 이는 물론 그 명제가 다른 명제들로부터 도출되지 않는다는 것을 뜻하지 않는다; 모든 명제는 다른 명제들로부터 도출될 수 있다. 그러나 이 후자들이 전자 자체보다 더 확실하지 않을 수도 있다.) (이 점에 관한 H. 뉴먼[3]의 익살스런 말.)

2. 어떤 것이 나에게—또는 모든 사람에게—그렇게 **보인**다는 것으로부터, 그것이 그렇다(그렇게 있다[4])는 것은 따라 나오지 않는다.[5]

그렇지만 이 후자를 의심하는 것이 뜻이 있는지는 문제될 수 있다.

있지만, 곧이어 데카르트식의 의심도 우리의 언어놀이를 벗어나는 것으로서 역시 문제가 있음을 분명히 한다. 왜냐하면, 그에 의하면, 무어식의 앎의 주장은 데카르트식의 의심 가능성을 전제하는 것으로서 서로 연관되어 있기 때문이다.

3 (옮긴이주) 뉴먼(John Henry Newman, 1801~1890): 영국국교도였으나 나중에 가톨릭 신학자, 사제, 그리고 1879년 이후 추기경이 되었다. 비트겐슈타인은 그의 주저 《동의의 문법에 관한 에세이》(*Essay in aid of a Grammar of Assent*)(1870)를 높이 평가했는데, 이 책에서 뉴먼은 적절한 증거나 논증 없는 명제들에는 동의하지 말아야 한다는 동시대의 존 록크 같은 경험주의자들에게 반대하여 "추론 감각(illative sense)" 이론을 전개하였다. 이에 따르면, 우리에게는 우리 삶의 구체적 상황에서 우리가 어떤 판단에 대해 적절한 논거나 증거를 제시할 수는 없지만, 그 판단이 건전하며 언젠가 적절하게 정당화될 수 있을 거라는 느낌으로 그 판단에 동의할 수 있는 마음의 능력이 있다. 구체적 상황에서 논증의 유용성은 매우 제한적이며, 우리가 삶에서 확실하게 믿거나 동의하는 것들은 논리의 증명 방식에 의해서가 아니라 사물들의 존재 방식에 대한 우리의 일관된 실천적 경험과 결합된 추론 감각에 의해 주어진다. 예를 들면, 우리는 '지구는 구체(球體)이다', '우리에게는 부모가 있다', '우리는 먹지 않고는 살 수 없다', '영국은 섬나라이다' 등과 같은 것들(그가 드는 많은 예들은 이 책에서 '무어의 명제들'이라 불리는 것들에 가깝다)을 즉각적이고 주저 없이 동의하며 받아들인다. 여기서 논거나 증거의 결여가 곧 그것들에 대한 우리의 동의를 비이성적으로 만들지는 않는다. 그것들의 확실성은 우리의 자연사나 일상의 사회적 교류 등 모든 것에 의해 함축된다. 이러한 뉴먼의 생각에는 이 책에서의 생각과 통하는, 아마 비트겐슈타인의 생각에 자극을 주었다고 할 수 있는 점들이 다수 존재한다.

4 (옮긴이주) '그렇**다**(그렇게 **있다**)'의 원말은 '*so ist*'이다.

5 (옮긴이주) 이 소견은 《확실성에 관하여》와 비슷한 시기에 작성된 《색채에 관한 소견들》(III부 §96)에서도 똑같이 나타나는데, 거기서 이 소견 다음에 이어지는 소견들(§§98~99)은 색채에 관한 논의에서만이 아니라 확실성에 관한 이하의 논의들에서도 이해에 도움이 될 것으로 보여 인용한다: "그것[사물들의 색깔]이 사람들에게 그렇게 보인다는 것은, 그것이 그렇게 있다는 것에 대한 사람들의 기준이다. 그렇게 보임과 그렇게 있음은 예외적인 경우에는 물론 서로 독립적일 수 있지만, 이것이 그것들을 논리적으로 독립적으로 만들지는 않는다; 언어놀이는 예외에 있지 않다."

3. 예컨대 누군가가 "나는 여기에 손이 있는지 알지 못한다"라고 말한다면, 우리들은 그에게 "좀 더 자세히 살펴보라"라고 말할 수 있을 것이다.—이러한 확인 가능성이 언어놀이에 속한다. 즉, 언어놀이의 본질적 특징들 중의 하나이다.

4. "나는 내가 인간임을 안다." 이 명제의 뜻이 얼마나 불명료한지를 보려면, 그 부정을 고찰해 보라. 맨 처음에 그것은 이렇게 파악될 수 있을 것이다: "나는 내가 인간의 기관들을 지니고 있음을 안다." (예를 들어, 틀림없이 아직 아무도 본 적이 없는 뇌.) 그러나 "나는 나에게 뇌가 있음을 안다"와 같은 명제는 어떠한가? 나는 그것을 의심할 수 있는가? 의심을 할 근거가 나에겐 결여되어 있다! 모든 것이 그것 편에서 말하고, 어떤 것도 그것에 반대하여 말하지 않는다. 그럼에도 불구하고, 수술해 보면 나의 두개골이 텅 빈 것으로 드러나리라는 상상은 가능하다.

5. 한 명제가 나중에 거짓으로 실증될 수 있는지는 내가 그 명제에 대해 인정하는 규정들에 달려 있다.

6. 그런데 우리들은 자기가 아는 것을 (무어처럼) 열거하여 셀 수 있는가? 내가 믿기엔, 그렇게 곧장은 못한다.—왜냐하면 그렇지 않다면 "나는 안다"란 말은 잘못 쓰이기 때문이다. 그리고 이 잘못 쓰임을 통해 이상스럽고 심히 중대한 정신 상태가 그 모습을 드러낸다고 보인다.

7. 나의 삶은 저기에 의자가 있고, 문이 있다는 것 등을 내가 알거나 확신한다는 것을 보여 준다.—예컨대, 나는 내 친구에게 "저기 그 의자에 앉게", "그 문을 닫게", 기타 등등을 말한다.

8. '안다'라는 개념과 '확신한다'라는 개념 간의 차이는 "나는 안다"가 나는 오류를 범할수 없다는 것을 뜻해야 하는 곳을 제외하면 전혀 큰 중요성이 없다. 예컨대 법정에서는 모든 증언에서 "나는 안다" 대신에 "나는 확신한다"라고 말할 수 있을 것이다. 실로, 거기서 "나는 안다"는 금지되어 있다고 생각해 볼 수 있을 것이다. [《빌헬름 마이스터》(*Wilhelm Meister*)[6]의 한 구절에서, "너는 안다" 또는 "너는 알았다"는 "너는 확신하였다"라는 뜻으로 쓰이고 있다. 왜냐하면 사태는 그가 안 것과 달랐으므로.]

9. 그런데 여기에 손(즉 나의 손)이 있음을 내가 안다는 것을 나는 삶 속에서 입증하는가?

10. 나는 여기에 한 병자가 누워 있음을 안다? 헛소리[7]! 나는 그의 침상 곁에 앉아 그의 용태를 주의 깊게 살핀다.—그렇다면 여기에 한 병자가 누워 있음을 나는 알지 못하는가?—그 물음이나 진술 어느 쪽도 뜻이 없다. 알맞은 경우가 생긴다면 내가 어쨌든 매 순간 사용할 수 있을 터인 진술 "나는 여기에 있다"와 마찬가지로 말이다. —— 그렇다면 "2×2=4"도 말하자면 헛소리이고, 특정한 경우들을 제외하면 결코 참인 산수 명제가 되지 못하는가? "2×2=4"는—"특정한 경우에"도 아니고 "항상"도 아니지만—산수의 참된 명제이다. 그러나 "2×2=4"라는 음성 기호 또는 문자 기호는 중국어에서는 다른 의미를 지니거나 뻔한 헛소리일 수 있을 것이다. 이로부터 우리들은, 명제는 오직 쓰임에서만 뜻을 지닌다는 것을 알 수 있다. 그리고 "나는 여기에 한 병자가 누워 있음을 안다"가 걸맞지 않은 상황에서 쓰였는데도 헛소리가 아니라 자명한 것으로 보이는 까닭은 단지, 그 명제에 걸맞은 상황이

6 (옮긴이주) 괴테의 소설 《빌헬름 마이스터의 수업시대》와/또는 《빌헬름 마이스터의 편력시대》.
7 (옮긴이주) '헛소리': 원말은 '무의미'(또는 '난센스')로도 번역될 수 있는 'Unsinn'.

비교적 쉽게 상상될 수 있기 때문이며, 또 "나는 ……임을 안다"라는 말은 의심이 존재하지 않는 자리에서는 어디서나 (그러니까 의심의 표현이 이해될 수 없을 터인 그런 곳에서도) 어울리리라고 생각되기 때문이다.

11. 우리들은 "나는 안다"의 쓰임이 얼마나 심하게 특수화되어 있는지 제대로 보지 못하고 있다.

12. —왜냐하면 "나는 …… 안다"는 알려진 것을 사실로서 보증해 주는 사태를 기술하는 것으로 보이기 때문이다. 우리들은 항상 "나는 내가 안다고 믿었다"라는 표현을 망각한다.

13. 요컨대 "나는 사정이 어떠함을 안다"라는 타자의 발언으로부터 "사정이 어떠하다"라는 명제가 도출될 수 있는 것은 아니다. 그 발언과 함께, 그것이 거짓말이 아니라는 것으로부터도 역시 도출될 수 없다.—그러나 나는 "나는 …… 안다"란 나의 발언으로부터 "사정이 어떠하다"를 도출할 수 없는가? 물론 할 수 있다. 그리고 "그는 거기에 손이 있음을 안다"라는 명제로부터 "거기에 손이 있다"도 역시 따라 나온다. 그러나 "나는 …… 안다"라는 그의 발언으로부터는, 그가 그것을 안다는 것이 따라 나오지 않는다.

14. 그가 그것을 안다는 것은 실증되어야 하는 것이다.

15. 어떤 오류도 가능하지 않았다는 것은 실증되어야 한다. "나는 그것을 안다"란 단언은 충분하지 못하다. 왜냐하면 그것은 단지 나는 (거기서) 오류를 범할 수 없다는 단언일 뿐이며, 내가 그 점에 있어서 오류를 범하지 않는다는 것은 객관적으로 확립될 수 있어야 하기 때문이다.

16. "내가 어떤 것을 안다면, 나는 내가 그것을 안다는 것 등도 또한 안다." 이 말은 "나는 그것을 안다"가 "나는 그 점에 있어서 틀릴 수 없다"를 의미한다는 것으로 된다. 그러나 내가 그러한지는 객관적으로 확립될 수 있어야 한다.

17. 이제 내가—한 대상을 지시하면서—"그것이 책이라는 것, 그 점에 있어서 나는 틀릴 수 없다"라고 말한다고 가정해 보자. 여기서 오류는 도대체 어떻게 보일까? 그게 무엇인지에 관해 나는 명료한 표상을 지니고 있는가?

18. "나는 그것을 안다"는 종종 이런 뜻이다 : 나는 나의 진술에 대해 올바른 근거들을 갖고 있다. 그러니까 다른 사람이 언어놀이를 알고 있다면, 그는 내가 그것을 안다는 것을 인정하게 될 것이다. 그가 언어놀이를 알고 있다면, 그는 사람들이 어떻게 그런 어떤 것을 알 수 있는지를 상상할 수 있어야 한다.

19. "나는 여기에 손이 있다는 것을 안다"란 진술은 그러니까 이렇게 계속될 수 있다 : "왜냐하면 내가 바라보고 있는 것은 나의 손이니까." 그 경우 이성적인 사람은 내가 그것을 안다는 것을 의심하지 않을 것이다. ——관념주의자도 역시 의심하지 않을 것이다. 그는 오히려, 실천적인 의심은 배제되어 있고, 그에게 문제가 아니었다, 그러나 이 의심 뒤에는 여전히 또 하나의 의심이 존재한다고 말할 것이다.—이것[8]이 환상이라는 것은 다른 방식으로 보여야 한다.

8 (옮긴이주) 언어놀이의 실천적인 맥락을 벗어나서도 여전히 의심의 존재를 말할 수 있다는 생각.

20. "외적 세계의 존재를 의심한다"는 것은, 예를 들어, 나중에 관찰을 통해 증명되는 어떤 행성의 존재를 의심한다는 것을 뜻하지 않는다.—또는 무어는 여기에 손이 있다는 앎은 토성이라는 행성이 존재한다는 앎과는 다른 종류임을 말하고자 하는 것인가? 그렇지 않다면 우리들은 의심하는 사람들에게 토성의 발견을 지적하고서, 그 존재가 증명되었다고, 그러니까 외적 세계의 존재도 마찬가지라고 말할 수 있을 것이다.

21. 무어의 견해는 실제로는, "나는 …… 안다"라는 진술이 오류일 수 없다는 점에서 '안다'라는 개념은 '믿다', '추측하다', '의심하다', '확신하고 있다'라는 개념들과 유사하다는 것으로 된다. 그리고 그게 사실이라면, 하나의 발언으로부터 하나의 주장의 참이 추론될 수 있다[9]. 그리고 여기서 "나는 안다고 믿었다"란 형식은 간과된다.—그러나 이런 형식이 허용되지 않는다면, 그렇다면 오류는 그 주장에서도 논리적으로 불가능해야 한다. 그리고 언어놀이를 알고 있는 사람은 이 점을 통찰해야 한다; 믿을 만한 사람이 자기는 그것을 안다고 하는 단언은 그때 그에게 아무런 도움도 줄 수 없다.

22. 만일 우리가 "나는 오류를 범할 수 없다"거나 "나는 오류를 범하지 않는다"라고 말하는 사람을 믿을 만한 사람으로 믿어야 한다면, 그것은 정말 이상할 것이다.

---

9 (옮긴이주) 무어의 견해가 옳다면, 예컨대 "나는 …… 믿는다"라는 어떤 사람의 발언으로부터 '그는 …… 믿는다'란 주장의 참을 추론할 수 있는 것처럼, "나는 …… 안다"라는 어떤 사람의 발언으로부터도 '그는 …… 안다'라는 주장의 참을 끌어낼 수 있게 된다는 것이다. 그러나 이는 앞 §13이나 다음 §22의 관찰과 상충되는 것으로, 무어의 견해는 말하자면 "나는 …… 안다"라는 발언을 일종의 심리 상태의 '표명'과 같은 것으로 오해하는 것이 된다. ('발언'과 '표명'의 원말은 똑같이 'Äußerung'이다. §180의 각주 참조.) 앎과 믿음(또는 확신)의 차이는 무어가 생각하듯 그것들이 상이한 심리 상태라는 데 있지 않다. 왜냐하면, 정신 상태로 말하자면, "그 상태는 앎의 상태이건 잘못된 믿음의 상태이건 동일할 수 있"(§42)기 때문이다.

23. 어떤 사람에게 두 손이 있는지를 (예컨대 그의 두 손이 절단되어 있는지 아닌지를) 내가 모를 때, 그가 믿을 만하다면, 나는 자기에게 두 손이 있다는 그의 단언을 믿을 것이다. 그리고 그가 자기는 그것을 안다고 말한다면, 그 말이 나에게 의미할 수 있는 것은 단지, 그가 그것을 확인할 수 있었다는 것, 그러니까 그의 팔들이 예컨대 덮개나 붕대로 아직 가려져 있지 않다는 것 등등일 뿐이다. 여기서 내가 그 믿을 만한 사람을 믿는다는 것은, 내가 그에게 확인의 가능성을 인정한다는 것으로부터 온다. 그러나 물리적 대상들이 (아마도) 존재하지 않으리라고 말하는 사람은 그런 가능성을 인정하지 않는다.

24. 관념주의자의 문제는 대략 다음과 같을 것이다: "무슨 권리로 나는 내 양손의 존재를 의심하지 않는가?" (그리고 그것에 대해 "나는 그것들이 존재함을 안다"라고 하는 것은 대답이 될 수 없다.) 그러나 그렇게 묻는 사람은 존재에 관한 의심이 언어놀이 내에서만 통한다는 것을 간과하고 있다. 즉, 그런 의심이 어떻게 보일까 하는 물음이 먼저 제기되어야 할 것이며, 그게 그렇게 곧장 이해되지 않는다는 것을 말이다.

25. "여기에 손이 있다는 것"에 대해서도 우리들은 오류를 범할 수 있다. 단지 특정한 상황들[10] 속에서만 그럴 수 없다. —"우리들은 계산에서도 오류를 범할 수 있다—단지 어떤 상황들 속에서만 그럴 수 없다."

26. 그러나 계산 규칙들을 사용함에 있어서 오류가 어떤 상황들 속에서 논리적으로 배제되어 있는지를 우리들이 어떤 하나의 규칙에서 알아볼 수 있는가?

10 (옮긴이주) 여기서는 일상적이고 정상적인 상황을 말한다.

그런 규칙이 우리에게 무슨 소용이 있는가? 그것을 적용할 적에 우리는 (다시) 오류를 범할 수 있지 않을까?[11]

27. 그러나 거기에 관해 우리들이 규칙과 같은 어떤 것을 내놓고자 한다면, 그 속에는 "정상적 상황들 속에서"라는 표현이 등장하게 될 것이다. 그리고 그 정상적 상황들은 인지되기는 하지만, 정확히 기술될 수는 없다. 오히려 일련의 비정상적인 것들이나 기술될 수 있다.[12]

28. '규칙을 배운다'는 것은 무엇인가?—이것.[13]

'규칙의 적용에서 잘못을 범한다'는 것은 무엇인가?—이것. 그리고 여기서 지시되는 것은 불확정적인 어떤 것이다.

29. 규칙의 쓰임에서의 훈련은 규칙의 사용에서의 잘못이 무엇인지도 보여준다.

30. 어떤 사람이 확인을 하였다면, 그는 이렇게 말한다: "그래, 그 계산은 맞다." 그러나 그는 그것을 그의 확실성의 상태로부터 추론하지 않았다. 우리들은 자신의 확실성으로부터 사태를 추론하지 않는다.

확실성은 말하자면 우리들이 사태를 확언할 때의 어조이다. 그러나 우리들은 자신이 정당하다는 것을 그 어조에서 추론하지는 않는다.

---

11 (옮긴이주) 《철학적 탐구》 §§85~86 참조.

12 (옮긴이주) 《철학적 탐구》 §§141~142 참조.

13 (옮긴이주) 예컨대 학교에서 규칙 따르기를 배울 때 우리가 배우는 것, 즉 언어놀이 상황에서 행해지는 구체적 실천을 가리켜 보이는 것이다.

31. 우리들이 마치 홀린 듯 자꾸만 되풀이해서 어떤 명제들로 되돌아오게 될 때, 나는 그 명제들을 철학적 언어에서 추방해 버렸으면 한다.[14]

32. 거기에 손이 있다는 것을 무어가 안다는 것이 중요하지 않고, 만일 그가 "나는 물론 그 점에서 오류를 범할 수도 있다"라고 말한다면 우리는 그를 이해하지 못하리라는 것이 중요하다. 우리는 묻게 될 것이다: "그런 오류는 도대체 어떻게 보일까?"—예컨대, 그게 오류였다는 것을 발견한다는 것은?

33. 즉, 우리는 우리를 더 이끌어 주지 않는 명제들을 추방한다.

34. 어떤 사람에게 계산하기를 가르칠 때, 우리들은 그가 선생의 계산을 신뢰할 수 있다는 것도 가르치는가? 그러나 이러한 설명들은 어쨌든 언젠가는 끝나지 않으면 안 될 것이다. 또한—우리들은 그에게, 이러이러한 특별한 경우에 감각들은 신뢰할 수 없다고 틀림없이 여러 경우에 말하므로—우리들은 그가 자신의 감각들을 신뢰할 수 있을 거라고 가르치는가?

규칙과 예외.

35. 그러나 어떠한 물리적 대상도 존재하지 않는다고 상상할 수는 없는가? 나는 모르겠다. 그렇지만 "물리적 대상들이 존재한다"는 헛소리이다. 그것은 경험 명제이어야 하는가?—

그리고 "물리적 대상들이 있다고 보인다", 이것은 경험 명제인가?

36. 우리는 "A는 물리적 대상이다"라는 가르침을 "A"가 무엇을 의미하는

14 (옮긴이주) 문제의 명제들(예컨대 무어의 명제들)은 무의미하거나 아니면 잘해야 문법적인 역할을 할 뿐, 그 어떤 철학적 입장을 증명해 주는 것들이 아니기 때문이다. §§57~59 및 §260 참조.

지, 또는 “물리적 대상”이 무엇을 의미하는지 아직 이해하지 못하는 사람에게만 준다. 그것은 그러니까 낱말들의 쓰임에 관한 가르침이며, “물리적 대상”은 (색, 양, ……과 같이) 하나의 논리적 개념이다.[15] 그리고 그렇기 때문에 “물리적 대상들이 존재한다”란 명제는 형성될 수 없다.

그러나 우리는 도처에서 그런 성공할 수 없는 시도들과 마주친다.

37. 그러나 “물리적 대상들이 존재한다”는 헛소리라[고 말하]는 것이 관념주의자의 회의나 실재주의자의 단언에 대한 충분한 대답인가? 그들에게는 그것은 어쨌든 헛소리가 아니다. 그러나 한 가지 대답은, 그 주장이, 또는 그 반대가, 그렇게 표현될 수 없는 (어떤) 것을 표현하려는 빗나간 시도라는 것이다. 그리고 그것이 빗나간 시도라는 것은 보여 줄 수 있다. 그러나 이로써 그것의 문제가 끝난 것은 아직 아니다. 우리들은 어떤 난점의 또는 그 대답의 최초 표현으로 우리에게 떠오르는 것이 완전히 잘못된 표현일지도 모른다는 것을 통찰해야 한다. 마치 어떤 그림을 올바로 혹평하는 사람이 처음엔 종종 적절하지 못한 곳에서 비판을 제기하고, 올바른 공격 지점을 찾아내어 비판하려면 **탐구**가 필요하듯이 말이다.

38. 수학에서의 지식. 우리들은 여기서 ‘내적 과정’ 또는 ‘상태’의 비중요성을 되풀이해서 상기하고, “왜 그 과정 또는 상태가 중요해야 하는가? 그것이 나에게 무슨 상관인가?”를 물어야 한다. 흥미로운 것은, 수학적 명제들이 어떻게 **쓰이느냐**이다.

---

15 (옮긴이주) 《논리-철학 논고》 4.1272 참조. 거기서 비트겐슈타인은 ‘대상’이 (‘복합체’, ‘사실’, ‘함수’, ‘수’ 등의 낱말과 마찬가지로) 본래적 개념이 아니라 형식적 개념 혹은 ‘사이비 개념’이며, 따라서 “대상들이 존재한다”라는 말을 우리들이 가령 “책들이 존재한다”란 말을 하듯 하면, 무의미한 사이비 명제들이 생겨날 뿐이라고 말한다.

39. 그렇게 우리들은 계산하며, 그런 상황들 속에서 계산은 무조건 신뢰 가능한 것으로, 확실히 옳은 것으로 취급된다.

40. "나는 여기에 나의 손이 있음을 안다"에 대해서, "어떻게 당신은 그걸 아는가?"라고 하는 물음이 뒤따를 수 있다. 그리고 그에 대한 대답은, 이것이 그렇게 알려질 수 있음을 전제한다. 그러므로 우리들은 "나는 여기에 나의 손이 있음을 안다" 대신 "여기에 나의 손이 있다"라고 말하고서는, 어떻게 우리들이 그걸 아는지를 덧붙일 수 있을 것이다.

41. "나는 내가 어디서 고통을 느끼는지를 안다", "나는 내가 여기서 고통을 느낀다는 것을 안다"는 "나는 내가 고통스럽다는 것을 안다"와 마찬가지로 잘못이다.[16] 그러나 "나는 당신이 나의 팔 어디를 건드렸는지를 안다"는 옳다.

42. 우리들은 "그는 그것을 믿지만, 그러나 사정은 그렇지가 않다"라고는 말할 수 있지만, "그는 그것을 알지만, 그러나 사정은 그렇지가 않다"라고는 말할 수 없다. 이는 믿음과 앎의 정신 상태가 다름으로부터 유래하는가? 아니다.—우리들은 "정신 상태"를 가령 말할 때의 어조, 몸짓 등에서 표현되는 것이라고 부를 수 있다. 그러니까, 확신함의 정신적 상태에 관해 이야기하는 것이 가능할 것이다; 그리고 그 상태는 앎의 상태이건 잘못된 믿음의 상태이건 동일할 수 있다. "믿는다"와 "안다"란 낱말에 상이한 상태가 대응해야 할 것이라고 생각하는 것은, "나"란 낱말과 "루트비히 비트겐슈타인"이란 이름에 상이한 사람이 대응되어야 할 것—왜냐하면 그 개념이 상이하므로—이라고 믿는 것과 같을 것이다.

---

16 (옮긴이주) 《철학적 탐구》 I §246 및 II xi [309] 참조.

43. "12×12=144에서 우리는 잘못 계산했을 수 없다", 이것은 어떤 종류의 명제인가? 아무튼 그것은 논리의 한 명제임이 틀림없다. —— 그러나 그것은 이제 12×12=144라는 확언과 동일하거나, 또는 같은 것으로 되지 않는가?

44. 만일 당신이, 여기서 우리들이 잘못 계산했을 수 없다는 것을 추론할 수 있는 규칙을 요구한다면, 그 대답은 이렇다: 우리는 그것을 규칙을 통해 배운 것이 아니라, 계산하는 법을 배움으로써 배웠다.

45. 계산한다는 것의 **본질**을 우리는 계산하는 법을 배울 적에 알게 되었다.

46. 그러나 우리가 계산의 신뢰성을 어떻게 확인하는지는 결국 기술될 수 있지 않은가? 오, 물론 그렇다! 그러나 거기서 규칙이 등장하는 것은 결코 아니다.—그러나 가장 중요한 것은, 규칙이 필요하지 않다는 것이다. 우리에게 부족한 것은 아무것도 없다. 우리는 규칙에 따라 계산하며, 그것으로 충분하다.

47. **그렇게** 우리들은 계산한다. 그리고 계산한다는 것은 **이것**이다. 우리가 예컨대 학교에서 배우는 것. 당신의 정신 개념과 연관되어 있는 이 초험적 확실함을 잊으라.[17]

17 (옮긴이주) 유고에는 '초험적(transzendent)' 대신 '최상급의(superlative)'가 이형(異形)으로 표시되어 있다. 비트겐슈타인의 뜻은, 계산의 확실함이란 것을 가령 우리가 학교에서 이런저런 방식으로 배우는 공적 실천으로서의 계산하기와 분리될 수 있는, 그 배후의 정신적인 어떤 것으로 보아서는 안 된다는 것이다. 그러나 계산의 신뢰성이 우리들이 규칙에 따라 계산하는 실천으로 충분하지 않다는 앞의 생각은 그러한 정신 개념과 연관된 초험적/최상급의 (말하자면 형이상학적인) 확실함을 염두에 두고 있는 것으로서, 우리가 벗어나야 하는 생각이라는 것이다. 그에 의하면, 정신은 이른바 '외면적인 것'과 분리될 수 있고 그 배후에 숨겨져 있어 (내성에 의해) 사적으로만 접근할 수 있는 '내면적인 것'이 아니다.

48. 그렇지만 우리들은 많은 계산들에서 어떤 것들은 단번에 신뢰 가능한 것으로, 다른 것들은 아직 확고하지 않은 것으로 지칭할 수 있을 것이다. 그런데 이제 그것은 논리적인 구별인가?

49. 그러나 명심하라: 비록 그 계산이 나에게 확고하다고 하더라도, 이는 실천적인 목적을 위한 하나의 결단일 뿐이다.

50. 언제 우리들은 말하는가, 나는 ……×……=……임을 안다고? 그 계산을 검사 완료하였을 때.

51. "여기서 잘못은 도대체 어떻게 보일까!"라는 이것은 어떤 종류의 명제인가? 그것은 논리적 명제임이 틀림없으리라. 그러나 그것은 사용되지 않는 논리이다. 왜냐하면 그것이 가르치는 바는 명제들에 의해 가르쳐지지 않기 때문이다.—그것은 논리적 명제이다. 왜냐하면 그것은 실로 개념적(언어적) 상황을 기술하고 있기 때문이다.

52. 이러한 상황은 그러니까 "태양으로부터 이 정도 거리에 행성이 존재한다" 같은 명제와 "여기에 손이 있다"(즉 내 손)에 대해 동일하지가 않다. 우리들은 두 번째 명제를 가설이라 부를 수 없다. 그러나 그것들 사이에 명확한 경계선은 없다.

53. 그러므로 무어가 다음과 같이 해석된다면, 우리들은 그가 옳다고 할 수 있을 것이다: 여기에 물리적 대상이 있다고 말하는 명제는 여기에 붉은 점이 있다고 말하는 명제와 비슷한 논리적 지위를 가질 수 있다.

54. 요컨대, 행성으로부터 나 자신의 손에 올수록 오류의 개연성이 단지 점점 더 줄어든다는 것은 참이 아니다. 오히려, 어떤 지점에서 오류는 더는 생각될 수도 없다.

이는, 그렇지 않다면 물리적 대상들에 관한 모든 진술에서 우리가 오류를 범했다는 생각, 우리가 하는 진술마다 모두 잘못이라는 생각도 역시 가능해야 할 것이라는 점에 의해서 이미 암시되고 있다.

55. 자, 그럼 우리 주위에 있는 모든 사물들이 존재하지 않는다는 가설은 가능한가? 그것은 우리가 모든 계산에서 잘못 계산해 왔다는 것과 같지 않을까?

56. "아마도 이 행성은 존재하지 않으며, 그 발광현상은 다른 방식으로 발생한다"라고 말한다면, 어쨌든 우리들은 존재하는 대상의 한 예를 필요로 한다. 그것은 존재하지 않는다, —예컨대 ……처럼.

또는 우리들은 확실함이란 단지 구성된 하나의 점이며, 그것에 어떤 것들은 더 많이, 어떤 것들은 더 적게 접근해 있다고 말해야 하는가? 아니다. 의심은 점차 그 뜻을 상실한다. 바로 이 언어놀이가 그러하다.

그리고 언어놀이를 기술하는 것은 모두 논리에 속한다.

57. 그런데 "여기에 나의 손이 있음을 나는 안다, 나는 단지 추측하는 것이 아니다", 이것은 문법적 명제로서 파악될 수 없을까? 그러니까, 시간적이지 않은 것으로서 말이다. —

그러나 그렇다면 그것은 다음과 같지 않은가: "내가 빨강을 보고 있음을 나는 안다, 나는 단지 추측하는 것이 아니다."

그리고 "그러므로 물리적 대상들이 존재한다"라는 귀결은 "그러므로 색깔들이 존재한다"와 같지 않은가?

58. "나는 …… 안다"가 문법적 명제로서 파악된다면, 그 "나"는 물론 중요할 수 없다. 그리고 그것은 본래 "이 경우 아무런 의심도 존재하지 않는다"나 "이 경우 '나는 알지 못한다'는 아무런 뜻도 없다"를 의미한다. 그리고 이로부터 물론 "나는 안다"도 역시 아무런 뜻이 없다는 것이 따라 나온다.

59. 여기서 "나는 안다"는 하나의 논리적 통찰이다. 다만, 실재주의가 그것에 의해서 증명될 수는 없다.

60. 이것이 한 조각의 종이라는 '가설'이 나중에 경험을 통해 확증되거나 반증될 것이라고 말하는 것, 그리고 "나는 그것이 한 조각의 종이임을 안다"에서 "나는 안다"가 그러한 가설에, 또는 논리적 규정에 관계된다고 말하는 것은 잘못이다.

61. …… 낱말의 의미는 그것의 사용 방식이다.

왜냐하면 그것이 낱말이 우리의 언어에 최초로 통합될 때 우리가 배워 익히는 것이기 때문이다.

62. 그렇기 때문에 '의미' 개념과 '규칙' 개념 사이에는 대응 관계가 존립한다.

63. 우리가 사실들을 있는 그대로와 다르게 상상한다면, 어떤 언어놀이들은 중요성을 상실하고, 다른 것들이 중요해진다. 그리고 그렇게 해서 언어의 어휘의 쓰임은—점차적으로—변한다.

64. 낱말의 의미를 공무원의 '기능'과 비교해 보라. 그리고 '상이한 의미들'은 '상이한 기능들'과.

65. 언어놀이들이 변하면 개념들이 변화하며, 또 개념들과 더불어 낱말들의 의미들도 변화한다.

* * *

66. 나는 실재에 관해 상이한 정도의 확신을 갖고 주장들을 한다. 확신의 정도는 어떻게 드러나는가? 그것은 어떤 귀결들을 갖는가?

예를 들어 기억이나 지각의 확실함이 문제일 수 있다. 나는 내 일에 대해 확신하지만, 어떤 검사를 통해 내가 오류를 납득할 수 있을지를 알 수도 있다. 예컨대 나는 어떤 전투의 연도를 전적으로 확신하지만, 공인된 역사책에서 다른 연도를 발견한다면, 나는 내 견해를 바꾸게 될 것이며, 그 때문에 내가 모든 판단에서 오류를 범하게 되지는 않을 것이다.

67. 우리가 보기에 오류는 있을 수 없고 또 실제로 오류와 마주치지도 않는 곳에서 되풀이해서 오류를 범하는 사람을 우리는 상상할 수 있을까?

예컨대 그는 자기가 이러이러한 곳에 살며, 나이는 이러이러하며, 이러이러한 도시 출신이라고 하는 따위를 나와 동일한 확신을 갖고 (그리고 그러한 확신의 온갖 표시를 내며) 말하지만, 오류를 범한다.

그러나 이 경우 그는 이 오류에 대해 어떤 관계에 있는가? 나는 뭐라고 가정해야 하는가?

68. 문제: 여기서 논리학자는 뭐라고 말해야 하는가?

69. 나는 이렇게 말했으면 한다: "내가 그점에 있어서 오류를 범한다면, 나는 내가 말하는 그 어떤 것이 참이라는 아무 보증도 없다". 그러나 그럼에도 불구하고 다른 사람은 나에 대해 그렇게 말하지 않을 것이며, 나도 다른 사람에 대해서 그러할 것이다.

70. 수개월 전부터 나는 주소 A에 거주해 왔으며, 거리 이름과 번지수를 무수히 읽었으며, 무수한 편지들을 여기서 받아 왔으며, 무수한 사람들에게 그 주소를 알려 주곤 했다. 내가 그 점에 있어서 오류를 범하고 있다면, 이 오류는 내가 나는 독일어가 아니라 중국어를 쓰고 있다고 (잘못) 믿을 경우보다 결코 경미하지 않다.

71. 어느 날 나의 친구가 자기는 오래전부터 이러이러한 데서 살아 왔다는 등등의 공상을 한다면, 나는 그것을 오류가 아니라 오히려 정신착란—아마도 일시적인—이라고 부를 것이다.

72. 이런 종류의 잘못된 믿음들이 모두 오류인 것은 아니다.

73. 그러나 오류와 정신착란의 차이는 무엇인가? 또는 내가 어떤 것을 오류로, 그리고 정신착란으로 취급할 때, 그것은 어떻게 구별되는가?

74. 오류는 원인뿐만 아니라 근거도 있다, 이렇게 말할 수 있는가? 즉, 대충 말해서: 오류는 오류를 범하는 자의 올바른 지식 안에 편입될 수 있다.

75. 다음은 옳을까? 만일 내가 여기 내 앞에 책상이 하나 놓여 있다고 단순히 잘못 믿었다면, 그것은 역시 오류일 것이다; 그러나 내가 이 책상 또는 이

와 같은 책상을 몇 달 전부터 날마다 보아 왔고 또 계속해서 이용해 왔다고 잘못 믿는다면, 그것은 오류가 아니다.

76. 나의 목표는 당연히, 여기서 우리들이 어떤 진술들을 했으면 하는가, 그러나 뜻이 있게 할 수는 없는가를 진술하는 것이다.

77. 나는 곱셈을 확실히 하기 위해서 아마도 두 번 계산하거나, 아마도 다른 사람이 그것을 검산하도록 할 것이다. 그러나 내가 그것을 스무 번 검산하거나, 또는 스무 사람이 그걸 검산하도록 할 것인가? 그리고 그것은 모종의 태만인가? 스무 번 재검사를 하면 확실함이 실제로 더 커질까?!

78. 그리고 그게 그렇지 않다는 것에 대해서 나는 근거를 댈 수 있는가?

79. 내가 남자이지 여자가 아니라는 것은 검증될 수 있다. 그러나 만일 내가 나는 여자라고 말하고, 내가 그 진술을 검사해 본 적이 없다는 것을 가지고 그 오류를 설명하려 한다면, 그 설명은 인정되지 않을 것이다.

80. 나의 진술들의 참에서 이 진술들에 대한 나의 이해가 검사된다.

81. 즉: 내가 어떤 잘못된 진술들을 한다면, 내가 그것들을 이해하는지가 그 때문에 불확실하게 된다.

82. 무엇이 한 진술에 대한 충분한 검사로 간주되느냐 하는 것은 논리에 속한다. 그것은 언어놀이의 기술(記述)에 속한다.

83. 어떤 경험 명제들의 참은 우리의 준거 체계에 속한다.

84. 무어는 자신이 태어나기 오래전부터 지구가 존재해 왔음을 자기는 안다고 말한다. 그렇게 표현되면 그것은 자기 개인에 관한 진술인 것처럼 보인다—그 외에 그것은 물리적 세계에 관한 진술이기도 하지만 말이다. 그런데 무어가 이것이나 저것을 아는지는 철학적으로 흥미 없지만, 그것이 알려질 수 있다는 것과 그것이 어떻게 알려질 수 있는가 하는 것은 흥미 있다. 만일 무어가 자기는 어떤 별들 사이의 거리를 안다고 우리에게 전했더라면, 이로부터 우리는 그가 특별한 탐구를 해 왔다고 추론할 수 있을 것이며, 또 이제 우리는 그것이 어떤 탐구인지 알고자 할 것이다. 그러나 무어가 골라내는 경우는 정확히, 그가 아는 것을 우리 모두가 안다고 보이는데, 어떻게 아는지는 말할 수 없는 경우이다. 예컨대 나는 이 문제(지구의 존재)에 관해서 무어와 똑같은 정도로 안다고 믿는다. 그리고 사정이 그가 말한 대로라는 것을 그가 안다면, 그건 나도 역시 안다. 왜냐하면 그가 자신의 명제에 도달한 것이, 나에게 접근 가능하지만 내가 행하지 않은 어떤 사고 과정을 거쳐서 이루어진 것 같지도 않기 때문이다.

85. 그런데 어떤 사람이 이것을 안다는 것에는 무엇이 포함되는가? 가령 역사에 대한 지식? 그는 지구가 이미 이만저만하게 오랫동안 존재해 왔다는 것이 무엇을 의미하는지 알아야 한다. 왜냐하면 분별 있는 성인이라고 다 그걸 알아야 하는 것은 아니기 때문이다. 우리는 사람들이 집들을 짓고 부수는 것을 보고, "이 집은 여기 있은 지 얼마나 되는가?"라고 하는 물음으로 이끌린다. 그러나 우리들은 어떻게 해서 예컨대 산에 대해서 이런 것을 묻게 되는가? 그리고 생성되고 소멸될 수 있는 물체로서의 '지구' 개념을 도대체 모든 사람들이 갖고 있는가? 왜 나는 지구를 평평하되 모든 방향에서 (깊이에

서도) 끝이 없는 것으로 생각해서는 안 될까? 그러나 그 경우에 우리들은 어쨌든 "나는 이 산이 내가 태어나기 오래전부터 존재해 왔다는 것을 안다"라고 말할 수 있을 것이다.—그러나 어떻게 될까, 이걸 믿지 않는 사람을 내가 만난다면?

86. 만일 무어의 명제들에서 "나는 안다"가 "나의 확신은 흔들릴 수 없다"로 대체된다면 어떻게 될까?

87. 가설로 기능할 수 있을 주장 문장이 연구와 행위의 원칙으로도 쓰일 수는 없는가? 즉, 명시된 규칙에 따라서는 아닐지라도, 그것이 단적으로 의심으로부터 벗어나 있을 수는 없는가? 그것은 단적으로 자명한 것으로 받아들여지며, 결코 문제 삼아지지 않으며, 실로 아마 결코 언표되지도 않을 것이다.

88. 예컨대 우리의 연구 전체는, 어떤 명제들이—그것들이 여하간 언표된다면—일체의 의심으로부터 비켜나 있도록 그렇게 설정되어 있을 수 있다. 그것들은 연구가 진행되는 길로부터 떨어져서 놓여 있다.

89. 우리들은 이렇게 말했으면 한다: "모든 것이 내가 태어나기 오래전부터 지구는 ……해 왔다는 것 편에서 말하고, 어떤 것도 그것에 반대하여 말하지 않는다."

그러나 그럼에도 불구하고 내가 그 반대를 믿을 수는 없을까? 그러나 문제는, 이 믿음이 실천적으로 어떻게 활동할까 하는 것이다.—아마도 어떤 사람은 이렇게 말할 것이다: "그것은 문제가 아니다. 믿음은 실천적으로 활동하건 하지 않건 믿음이다." 믿음은 언제나 인간 정신의 한결같은 상태라

고, 그렇게 우리들은 생각한다.[18]

90. "나는 안다"는 "나는 본다"와 비슷하고 근친적인 원초적 의미를 지니고 있다. (독일어 "wissen"과 라틴어 "videre".[19]) 그리고 "나는 그가 방에 있음을 알았으나, 그는 방에 있지 않았다"는 "나는 그를 방에서 보았으나, 그는 거기 있지 않았다"와 비슷하다. "나는 안다"는, ("나는 믿는다"처럼) 나와 어떤 한 명제의 뜻 사이의 관계가 아니라, 나와 어떤 한 사실 사이의 관계를 표현한다고 한다. 그래서 그 사실이 나의 의식 속에 받아들여진다는 것이다. (여기에 또한 왜 사람들이, 우리들은 외부 세계에서가 아니라 이른바 감각 자료 영역에서 일어나는 것만을 본래 안다고 말하고자 하는지의 이유도 있다.) 그 경우 앎에 대해 우리들이 지니는 그림은 외적 과정을 있는 그대로 눈과 의식에 투영하는 시선을 통해 지각한다는 것일 것이다. 다만 즉시 문제가 존재하는데, 그것은 도대체 우리들이 이 투영도 역시 확신할 수 있는가 하는 것이다. 그리고 이 그림은 우리가 앎에 대해 지니는 표상을 보여 주지만, 그 표상의 근저에 놓여 있는 것은 실제로 보여 주지 않는다.

91. 무어가 자기는 지구가 ……존재해 왔음을 안다고 말한다면, 우리 대부분은 그것이 그렇게 오랫동안 존재해 왔다는 점에서 그의 말이 옳다고 할 것이며, 자기가 그걸 확신하고 있다는 그의 말도 역시 믿을 것이다. 그러나 그는 자신의 확신에 대해 올바른 근거도 갖고 있는가? 왜냐하면, 그렇지 않다면 그는 어쨌든 그걸 아는 것이 아니기 때문이다(러셀[20]).

---

18 (옮긴이주) 이러한 생각이 앞 §47에서 비판적으로 언급된 정신 개념에 해당한다

19 (옮긴이주) "wissen(알다)"과 "videre(보다)"의 어원은 (희랍어 'idein'이나 'eidenai'와 마찬가지로) '보다'라는 의미를 지닌 인도게르만어 동사어근 *ueid-와 그 완료형 *ouid-/uid-에 있다고 한다.

20 (옮긴이주) 러셀(Bertrand Russell, 1872~1970): 영국의 논리학자이자 수학자이며 철학자. 또 사회비평가와 평화운동가로서도 활약했다. 주요 철학적 저서로 《수학 원리》(A. N. 화이트헤드와 공저), 《신비

92. 그러나 우리들은 물을 수 있다: "어떤 사람이, 지구가 요즈음에 비로소, 가령 자기가 태어난 이후에 비로소 존재한다고 믿을 설득력 있는 근거를 가질 수 있는가?"—그가 항상 그렇게 들어 왔다고 가정한다면,—그가 그것을 의심할 만한 좋은 근거가 있을까? 사람들은 비를 오게 할 수 있으리라고 믿어 왔다. 왜 어떤 왕이 자기와 더불어 세계가 시작했다는 믿음 속에서 길러져서는 안 될까? 그리고 이제 만일 무어와 이 왕이 서로 만나 논의한다면, 무어는 정말 자신의 믿음이 올바른 것임을 실증할 수 있을까? 내 말은 무어가 자신의 관점으로 그 왕을 개종시킬 수 없다는 것은 아니다. 그러나 그것은 특별한 종류의 개종일 것이다: 그 왕은 세계를 다르게 바라보게끔 인도되리라.

우리들이 어떤 관점의 **올바름**을 때때로 그것의 **단순성**이나 **균형성**에 의해 확신하게 된다는 것, 즉 이러한 관점으로 넘어오게 된다는 것을 고려해 보라. 그 경우 우리들은 가령 단적으로 이렇게 말한다: "그건 **그래야** 해."

93. 무어가 무엇을 '**아는**' 지를 나타내는 명제들은 모두, 왜 사람이 그 반대를 믿어야 할지 상상하기 어려운 그런 종류의 것들이다. 예컨대 무어가 자신의 전 생애를 지구로부터 거의 떨어지지 않고 지내 왔다는 명제.—이 말을 나는 여기서 무어 대신 나 자신에 대해 되풀이할 수 있다. 무엇이 나로 하여금 그 반대를 믿게 만들 수 있을까? 기억, 아니면 내가 그것을 들은 적이 있다는 것.—내가 보았거나 들었던 모든 것은 어떤 인간도 지구로부터 그리 멀

주의와 논리》, 《수리철학 입문》, 《외적 세계에 대한 우리의 지식》, 《마음의 분석》, 《의미와 진리에 관한 탐구》, 《인간의 지식: 그 범위와 한계》 등이 있다. 그는 지식을 정확히 정의하기는 어렵다고 보았지만, 근거 있게 정당화된 참인 믿음을 앎이라고 본 인식론적 전통과 비슷하게, 지식을 참인 믿음들의 부분 집합으로 보았다. 그에 의하면, 지식은 단순히 우연적으로 참인 믿음과 다르고, 의심이 일어날 경우에 그 믿음을 뒷받침해 줄 건전한 증거가 필요하다. 그러나 악순환이나 무한 소급이 일어나지 않으려면, 증거가 될 어떤 믿음들은 결국 자명해야 한다. 그는 이 자명한 믿음들은 지식이라고 보았다.

리 떨어져 본 적이 없다는 확신을 나에게 만들어 준다. 나의 세계상 속에 있는 어떤 것도 그 반대를 말하지 않는다.

94. 그러나 내가 나의 세계상을 지니고 있는 것은 내가 나의 세계상의 올바름을 확인하였기 때문이 아니다; 내가 그것의 올바름을 확신하고 있기 때문도 아니다. 오히려 그것은 내가 그 위에서 참과 거짓을 구분하는, 전승된 배경이다.

95. 이 세계상을 기술하는 명제들은 일종의 신화에 속할 수 있을 것이다. 그리고 그것들의 역할은 놀이 규칙들의 역할과 비슷하며, 놀이는 명시화된 규칙들 없이 순전히 실천적으로도 배울 수 있다.

96. 우리들은 이렇게 상상할 수 있을 것이다. 즉, 경험 명제의 형식으로 된 어떤 명제들이 딱딱하게 굳어져서는, 굳지 않은 유동적 경험 명제들을 위한 배출관으로 기능할 것이라고. 그리고 유동적 명제들은 굳어지고 딱딱한 것들은 유동적으로 되리라는 점에서, 이 관계는 시간과 더불어 변할 것이라고.

97. 신화는 다시 강물로 되고, 생각들의 강바닥은 위치를 옮길 수 있다. 그러나 나는 강바닥 위에서의 물의 운동과 이 강바닥 자체의 위치 옮김을 구별한다; 비록 그 양자의 명확한 분리는 존재하지 않지만 말이다.

98. 그러나 만일 어떤 사람이 "그러니까 논리학도 역시 하나의 경험 과학이다"라고 말한다면, 그는 옳지 않을 것이다. 그러나 동일한 명제가 어떤 때는 경험에 의해 검사될 수 있는 것으로, 어떤 때는 검사의 규칙으로 취급될 수 있다는 것, 이것은 옳다.

99. 그렇다, 저 강물의 둑은 부분적으로는 아무 변화도 겪지 않거나 눈에 띄지 않는 변화를 겪는 견고한 암석으로 이루어져 있고, 부분적으로는 혹은 여기서 혹은 저기서 씻겨 내려가거나 쌓이는 모래로 이루어져 있다.

100. 무어가 자기는 안다고 말하는 진리들은, 그가 그것들을 안다면 대충 말해서 우리 모두가 아는 그런 것들이다.

101. 그런 명제는 예를 들어 이런 것일 수 있을 것이다. 즉, "나의 몸이 사라졌다가 잠시 후에 다시 나타난 적은 결코 없다."

102. 나는 내가 알지 못하는 채로, 가령 의식을 잃은 상태에서, 언젠가 지구로부터 멀리 떨어져 있었다고 믿을 수 없을까? 실로, 다른 사람이 이를 알지만 그걸 나에게 말하지 않는 거라고 믿을 수 없을까? 그러나 이것은 나의 나머지 확신들에 전혀 걸맞지 않을 것이다. 내가 이 확신들의 체계를 기술할 수 있으리라는 것은 아니다. 그러나 나의 확신들은 하나의 체계, 하나의 구조를 형성한다.

103. 그리고 이제 내가 "……이라는 것은 나의 흔들릴 수 없는 확신이다"라고 말한다면, 이 경우 그것은 내가 특정한 사고 과정들을 거쳐 의식적으로 그 확신에 도달하지 않았다는 것, 오히려 그 확신은 내가 건드릴 수 없을 만큼 나의 모든 물음들과 대답들 속에 닻을 내리고 있다는 것을 또한 뜻한다.

104. 예컨대 나는 태양이 창공에 있는 구멍이 아니라는 것을 또한 확신하고 있다.

105. 가정에 대한 모든 검사, 모든 확증과 반증은 이미 하나의 체계 내에서 일어난다. 더욱이, 이 체계는 우리의 모든 논증들을 위한 다소 자의적이고 의심스러운 출발점이 아니라, 오히려 우리가 논증이라고 부르는 것의 본질에 속한다. 그 체계는 논증들의 출발점이라기보다는 논증들의 생명소이다.

106. 어떤 어른이 한 아이에게, 자기는 달에 가본 적이 있노라고 이야기했다고 해 보자. 그 아이는 그걸 나에게 이야기한다. 그리고 나는 그건 단지 농담이었을 뿐, 그 양반은 달에 간 적이 없노라고, 아무도 달에 간 적이 없노라고, 달은 우리로부터 멀리멀리 떨어져 있으며 우리들은 그리로 올라가거나 날아갈 수 없노라고 말한다.[21]—그런데 만일 그 아이가, 그래도 사람이 거기로 갈 수 있는 방법이 아마 있을 거라고, 다만 그게 나에게 알려져 있지 않을 뿐이라고 하는 따위로 고집한다면,—나는 뭐라고 대꾸할 수 있을까? 어떤 종족의 어른들이 사람들은 때때로 달에 갔다고 믿는다면(아마도 그들은 자신들의 꿈을 그렇게 해석한다), 그리고 물론 사람이 통상적인 수단들로는 거기로 올라가거나 날아갈 수 없을 거라고 인정한다면, 나는 그들에게 뭐라고 대꾸할 수 있을까?—그러나 아이는 통상적으로는 그러한 믿음을 고집하지 않을 것이며, 우리가 그에게 진지하게 하는 말을 곧 납득할 것이다.

107. 이는, 우리들이 아이에게 신에 대한 믿음을 가르치거나 신은 존재하지 않는다는 것을 가르칠 수 있고, 또 아이는 그에 따라 전자 또는 후자에 대해 설득력 있어 보이는 근거들을 제공할 수 있게 되는 것과 전적으로 같지 않은가?

21 (옮긴이주) 그때까지 일반적으로 알려져 있거나 예상할 수 있는 통상적인 비행 수단으로는 인간이 달에 간 적이 없으며 또 갈 수도 없다는 말이다. 주지하다시피, 인간은 1969년 7월에 우주선을 타고 처음으로 달에 착륙하였다.

108. "그러나 그렇다면 거기엔 아무런 객관적 진리도 없는가? 어떤 사람이 달에 있었다는 것은 참이거나 거짓이 아닌가?" 우리가 우리의 체계 내에서 생각한다면, 어떠한 인간도 달에 간 적이 없다는 것은 확실하다. 그런 어떤 것이 이성적인 사람들에 의해 우리에게 진지하게 보고된 적이 없을 뿐 아니라, 우리의 물리학의 전 체계는 우리가 그걸 믿는 것을 금한다. 왜냐하면 이 체계는 "어떻게 그는 중력을 극복하였는가?", "어떻게 그는 공기 없이 살 수 있었는가?"라고 하는 물음들 및 대답될 수 없는 수천 가지 다른 물음들에 대해 대답을 요구하기 때문이다. 그러나 만일 우리가 이 모든 대답들 대신에 다음과 같이 대꾸를 받는다면 어떻게 될까? "우리는 사람이 어떻게 달에 가는지 모르지만, 그러나 거기에 도달하는 이들은 자신들이 거기에 있음을 곧바로 인식한다." 우리는 이런 말을 한 사람에 대해서 정신적으로 먼 거리감을 느끼게 되리라.

109. "경험 명제는 검사될 수 있다"(라고 우리는 말한다). 그러나 어떻게? 그리고 무엇에 의해서?

110. 무엇이 경험 명제의 검사로 간주되는가?—"그러나 이것은 충분한 검사인가? 그리고 만일 그렇다면, 그것은 그런 것으로 논리에서 인식되어야 하지 않는가?"—마치 근거 제시가 결코 끝이 나지 않을 듯이 말이다. 그러나 그 끝은 근거 없는 전제[22]가 아니라, 근거 없는 행위 방식이다.

111. "나는 내가 달에 전혀 가 본 적이 없다는 것을 안다."—실제 상황에서 이 말은, 상당수의 사람들이 달에 간 적이 있고 또 아마도 상당수의 사람들

22 (옮긴이주) 즉, (논리적 추론의 관점에서 제일 근거가 될) 어떤 명제적인 것으로서의 전제.

은 스스로 알지 못한 채 달에 간 적이 있는 경우와는 전혀 다르게 들린다. 후자의 경우 우리들은 그 앎에 대한 근거들을 제시할 수 있을 것이다. 여기에는 곱셈의 일반 규칙과 실제 수행된 어떤 곱셈들 사이에서와 비슷한 관계가 있지 않은가?

나는 이렇게 말하고자 한다. 내가 달에 간 적이 없다는 것은, 이에 대한 그 어떤 근거 제시가 확고할 수 있는 것과 마찬가지로 나에게 확고하다.

112. 그리고 그것이, 무어가 자기는 그러한 모든 것들을 안다고 말할 때 말하고자 하는 것이 아닌가?—그러나 그가 그것을 안다는 것이 정말 중요한가? 이 명제들 중 어떤 것들은 우리에 대해 확고해야 한다는 것이 아니라?

113. 어떤 사람이 우리에게 수학을 가르치고자 할 때, 그는 a+b=b+a 임을 자기가 안다고 단언함으로써 시작하지는 않을 것이다.

114. 어떤 사실도 확신하지 않는 사람은 자기의 말뜻도 역시 확신할 수 없다.[23]

115. 모든 것을 의심하려는 사람은 의심하는 데까지 이르게 되지도 않을 것이다. 의심하는 놀이 자체는 이미 확실성을 전제한다.

116. "나는 …… 안다" 대신에 무어가 "……은 나에게 확고하다"라고 말할

23 (옮긴이주) 앞 §§61-62 참조. 어떤 사실도 확신하지 않는 사람은 낱말이 우리의 언어에 최초로 통합될 때 우리가 배워 익힌 것들, 즉 낱말의 사용 방식을 이루는 사실들도 확신하지 않는다. 그러나 낱말의 사용 방식(또는 규칙)이 바로 의미를 이룬다. 그러므로 어떤 사실도 확신하지 않는 사람은 어떤 낱말들의 의미도 확신할 수 없다.

수는 없었는가? 더구나, "……은 나 및 다른 많은 사람들에게 확고하다"라고 말이다.

117. 내가 전혀 달에 간 적이 없다는 것을 의심하는 것은 나에게 왜 가능하지 않은가? 그리고 내가 어떻게 그것을 의심하려고 시도할 수 있을까?

무엇보다도, 어쨌든 내가 아마도 거기 간 적이 있으리라는 가정은 나에게는 쓸데없는 것으로 보일 것이다. 그것으로부터 아무것도 따라 나오지 않을 것이며, 그것에 의해 아무것도 설명되지 않을 것이다. 그것은 내 삶 속의 어떠한 것과도 연관되지 않을 것이다.

내가 "어떤 것도 그것 편에서 말하지 않으며, 모든 것이 그것에 반대하여 말한다"라고 말한다면, 이것은 이미 그것 편에서 말함 및 그것에 반대하여 말함의 원리를 전제하고 있다. 즉, 무엇이 그것 편에서 말할지 나는 말할 수 있어야만 한다.

118. 그럼 다음과 같이 말하는 것은 옳을까? 지금까지 아무도 내 머리 속에 뇌가 들어 있는지를 보기 위해서 내 두개골을 열어 보지 않았다; 그러나 모든 것이 그 속에서 뇌가 발견되리라는 것 편에서 말하고, 어떤 것도 그것에 반대하여 말하지 않는다.

119. 그러나 또한 이렇게도 말할 수 있는가? 즉, 책상이 아무도 그것을 보지 않을 때도 역시 거기에 존재하고 있다는 것에 반대하여 말하는 것은 아무것도 없고, 모든 것이 그것 편에서 말한다고. 도대체 무엇이 그것 편에서 말하는가?

120. 그러나 이제 어떤 사람이 그것을 의심한다면, 그의 의심은 실천적으로

는 어떻게 나타날까? 그리고 그것은 실로 아무런 차이도 만들어 내지 않으므로, 우리는 그가 조용히 의심하도록 놔둘 수 있지 않을까?

121. "의심이 없는 곳에는 앎도 없다", 이렇게 말할 수 있는가?

122. 의심을 하기 위해서는 근거들이 필요하지 않은가?

123. 내가 어디를 바라보건, ……임을 의심할 만한 아무런 근거도 나는 발견하지 못한다.

124. 나는 이렇게 말하고자 한다: 우리는 판단들을 판단의 원리(들)로 사용한다.

125. 어떤 맹인이 나에게 "당신은 두 손이 있는가?" 하고 묻는다면, 나는 내 손을 바라봄으로써 그걸 확인하지 않을 것이다. 그렇다, 만일 내가 도대체 그걸 의심한다면, 나는 내가 왜 나의 눈을 신뢰해야 할지 알지 못한다. 그렇다, 왜 나는 내가 두 손을 보고 있는지를 살핌으로써 내 눈을 검사해서는 안 될까? 무엇이 무엇에 의해서 검사될 수 있는가?! (무엇이 확고한지를 누가 결정하는가?)[24]

그리고 이러이러한 것이 확고하다는 진술은 무엇을 의미하는가?

126. 나는 내 말의 의미를 특정한 판단들보다 더 확신하지 않는다. 이 색깔이 "파랗다"고 불린다는 것을 나는 의심할 수 있는가?

---

24 (옮긴이주) 《철학적 탐구》 II xi [312] 참조.

(나의) 의심은 하나의 체계를 형성한다.

127. 왜냐하면 어떤 사람이 의심한다는 것을 나는 어떻게 아는가? 그가 "나는 그것을 의심한다"라는 말을 나처럼 쓰고 있다는 것을 나는 어떻게 아는가?

128. 나는 어릴 때부터 그렇게 판단하도록 배워 왔다. 그것이 판단한다는 것이다.

129. 그렇게 나는 판단하는 법을 배워 왔다; 그것을 판단으로서 배워 알고 있다.

130. 그러나 그렇게 판단하도록, 즉, 그렇게 판단하는 것이 옳다고 우리에게 가르쳐 주는 것은 경험이 아닌가? 그러나 어떻게 경험이 우리에게 그것을 가르쳐 주는가? 우리는 그것을 경험에서 끄집어낼 수 있을지도 모르지만, 경험은 경험에서 무엇인가를 끄집어내라고 우리에게 충고하지 않는다. 경험이 우리가 그렇게 판단하는 근거라면 (그리고 단순히 원인이 아니라면), 우리는 이것을 근거라고 간주할 근거를 또다시 갖고 있지 않다.[25]

131. 아니다, 경험은 우리의 판단놀이를 위한 근거가 아니다. 그리고 그 놀이의 탁월한 성과도 아니다.

132. 일찍이 사람들은 왕이 비를 내리게 할 수 있다고들 판단하였다. 우리는

---

25 (옮긴이주) 뒤의 §§274~275 참조.

이것이 모든 경험과 모순된다고 말한다. 오늘날 우리들은 비행기, 라디오 등이 국민들 간의 친화와 문화 전파를 위한 수단이라고 판단한다.

133. 통상적인 상황에서 나는 나에게 두 손이 있는지를 눈으로 봄으로써 확인하지 않는다. 왜 그렇게 하지 않는가? 경험이 그것을 불필요한 것으로서 실증해 주었는가? 또는 (다시): 우리는 그 어떤 방식으로 귀납의 일반 법칙을 배웠고, 이제 여기서도 역시 그 법칙을 신뢰하는 것인가?—그러나 왜 우리가 곧바로 특수 법칙이 아니라 먼저 어떤 하나의 일반 법칙을 배웠어야 하는가?[26]

134. 내가 책을 서랍 속에 넣을 때, 나는 ……한 경우가 아니라면 그것이 그 속에 있다고 가정한다. "경험은 내가 항상 옳다고 한다. 책이 (단적으로) 사라져 버렸다는 것이 잘 입증된 경우는 지금까지 나타난 적이 없다." 어떤 책이 어디 있는지 우리가 확실히 안다고 믿었는데도 그 책이 결코 다시 발견되지 않는 일은 종종 일어나곤 했다.—그러나 그럼에도 불구하고 경험은 예컨대 책이 사라지지 않음을 (예컨대 조금씩 증발해 버리지 않음을) 실제로 가르쳐 준다.—그러나 책이 사라지지 않았다고 우리가 가정하도록 하는 것이 책들 등과 관련된 이러한 경험인가? 자, 특정한 새로운 상황 하에서 책들이 사라져 버렸다는 것을 우리가 발견했다고 가정한다면,—우리는 우리의 가정을 바꾸게 되지 않을까? 우리의 가정 체계에 대한 경험의 작용을 부인할 수 있는가?

135. 그러나 우리는 단순히, 항상 일어나는 것은 또다시 일어날 것이라는 원

---

26 (옮긴이주) 뒤의 §§135, 152~153 및 287, 그리고 《철학적 탐구》 §§324~325 및 §§472~481 참조.

리(또는 그 비슷한 어떤 것)를 따르지 않는가?—이 원리를 따른다는 것은 무엇을 뜻하는가? 우리는 그것을 실제로 우리의 추리에서 끌어들이는가? 또는 그것은 단지 우리의 추론이 외관상 따르는 자연법칙일 뿐인가? 그것은 후자일지 모른다. 그것은 우리의 고려 사항이 아니다.

136. 무어가 자기는 이러이러한 것을 안다고 말할 때, 그는 실제로는 우리가 특별한 검사 없이도 긍정하는 경험 명제들만, 다시 말해 우리의 경험 명제들의 체계 내에서 독특한 논리적 역할을 하는 명제들만 열거하고 있다.

137. 가장 믿을 만한 사람이 자기는 사정이 이러이러함을 안다고 나에게 단언할지라도, 단지 이것만으로는 그가 그것을 안다는 것을 나에게 납득시킬 수 없다. 납득시킬 수 있는 것은 단지, 그가 그것을 안다고 믿는다는 것뿐이다. 그렇기 때문에, 자기는 …… 안다고 하는 무어의 단언은 우리에게 흥미를 줄 수가 없다. 그러나 물론 무어가 그렇게 알고 있는 진리들의 예로 열거한 명제들은 흥미 있다. 그 까닭은 누군가가 그것들의 진리를 알고 있거나 또는 그것들을 안다고 믿기 때문이 아니라, 그것들은 모두 우리의 경험적 판단들의 체계 내에서 비슷한 역할을 하기 때문이다.

138. 예컨대, 우리는 그것들 중의 어느 것에도 탐구를 통하여 도달하지 않는다.

예컨대 지구의 형태와 나이에 관해서는 역사적인 탐구에 탐구가 거듭되어 왔지만, 지구가 지난 100년 동안 존재해 왔는지에 관해서는 그렇지 않다. 물론, 우리 중 많은 사람들이 그들의 부모와 조부모로부터 이 시기에 관한 이야기를 듣고 정보를 얻는다. 그러나 그들이 오류를 범할 수는 없는가?—"헛소리! 도대체 어떻게 이 모든 사람들이 오류를 범하고 있단 말인가?"

하고 우리들은 말할 것이다. 그러나 그것은 논증인가? 그것은 단순히 어떤 관념에 대한 거부가 아닌가? 그리고 가령 개념 규정이 아닌가? 왜냐하면 여기서 내가 가능한 오류에 관해 말한다면, 이는 우리의 삶에서 "오류"와 "진리"가 하는 역할을 변화시키기 때문이다.

139. 실천을 확립하기 위해서는 규칙들만으로는 충분하지 않고, 예들도 필요하다. 우리의 규칙들은 뒷문들을 열어 놓고 있으며[27], 실천이 스스로 말해야만 한다.

140. 경험적 판단을 내리는 실천을 우리는 규칙들을 배움으로써 배우지 않는다; 판단들 및 그것들과 다른 판단들과의 관계들이 우리에게 가르쳐진다. 판단들의 전체가 우리에게 그럴듯해진다.

141. 우리가 어떤 것을 믿기 시작한다면, 그것은 개별적 명제가 아니라 명제들의 전체 체계이다. (전체가 점차로 빛을 받는다.)

142. 개별적 공리들이 아니라, 결론들과 전제들이 서로 의지하고 있는 하나의 체계가 나에게 명쾌해진다.

143. 예컨대 나는 누군가가 여러 해 전에 이 산에 올라간 적이 있다는 이야기를 듣는다. 그런데 나는 그 이야기하는 사람의 신뢰성을, 그리고 이 산이 수년 전에 존재했는지를 항상 탐구하는가? 어린아이는 그에게 이야기되는 사실들을 배우는 것보다 훨씬 나중에, 믿을 만한 이야기를 하는 사람과 그렇

27 (옮긴이주) 규칙들 자체는 그것들을 어떻게 따라야 하는지 말해 주지 않는다. '규칙을 따른다'는 것은 하나의 실천이다(《철학적 탐구》 §202).

지 않은 사람이 있다는 것을 배운다. 어린아이는 저 산이 이미 오래전부터 존재해 왔다는 것을 전혀 배우지 않는다. 즉, 그것이 정말 그러하냐 하는 물음은 전혀 일어나지 않는다. 말하자면 그는 이 결론을 그가 배우는 것과 함께 삼킨다.

144. 어린아이는 수많은 것들을 믿는 법을 배운다. 즉, 아이는 예컨대 이 믿음에 따라 행위하는 법을 배운다. 아이가 믿는 것들의 체계가 점차 형성되어 나타나며, 그 속에서 어떤 것들은 요지부동으로 확고하고 어떤 것들은 다소간에 움직일 수 있다. 확고한 것이 확고하게 있는 것은, 그것이 그 자체로 명백하거나 명쾌하기 때문이 아니라, 그 주위에 놓여 있는 것들이 그것을 꽉 붙들고 있기 때문이다.

145. 우리들은 "나의 모든 경험들은 사정이 그러하다는 것을 보여 준다"라고 말하고 싶어 한다. 그러나 그것들이 어떻게 그렇게 해 주는가? 왜냐하면 그것들이 가리키는 저 명제는 또한 그것들에 대한 특별한 해석에 속하기 때문이다.

"내가 이 명제를 확실히 참이라고 간주한다는 것은 경험에 대한 나의 해석을 특징짓는 것이기도 하다."

146. 우리는 지구에 대해, 공간 속에서 자유롭게 움직이며 100년 동안에는 본질적으로 변하지 않는 둥근 공이라는 그림을 떠올린다. 나는 "우리는 …… 그림을 떠올린다"라고 말하였다. 그리고 이제 이 그림은 우리가 여러 가지 사태들을 판단하는 것을 도와준다.

나는 물론 어떤 한 교량의 규모를 계산할 수 있으며, 또 여기서는 교량이 나룻배보다 유리하다는 것 등등도 때때로 계산해 낼 수 있다.—그러나 어디선가 나는 어떤 가정 또는 결단으로 시작해야만 한다.

147. 둥근 공으로서의 지구라는 그림은 좋은 그림이다. 그것은 어디서나 확증된다. 그리고 그것은 또한 단순한 그림이기도 하다. 간단히 말해서, 우리는 그것을 의심하지 않고, 그것을 갖고 일한다.

148. 내가 의자에서 일어나고자 할 때, 나에게 여전히 두 발이 있는지 왜 나는 확인하지 않는가? 아무런 까닭도 없다. 나는 단순히, 그런 일을 하지 않는다. 그렇게 나는 행위한다.

149. 나의 판단들 자체가, 내가 판단하는 방식을, 판단한다는 것의 본질을 특징짓는다.

150. 사람은 어느 것이 자신의 오른손이며 어느 것이 자신의 왼손인지를 어떻게 판단하는가? 나는 나의 판단이 다른 사람들의 판단과 일치할 것이라는 것을 어떻게 아는가? 어떻게 나는 이 색깔이 파랗다는 것을 아는가? 여기서 내가 나를 신뢰하지 않는다면, 왜 내가 다른 사람의 판단을 신뢰해야 하는가? 까닭이 있는가? 그 어디선가 나는 신뢰하기 시작해야 하지 않는가? 즉, 나는 그 어디선가 의심하지 않음으로써 시작해야 한다. 그리고 이는 말하자면 성급하되 용서 가능한 그런 것이 아니라, 오히려 판단의 일부를 이루는 것이다.

151. 나는 이렇게 말했으면 한다: 무어는 자기가 안다고 주장하는 것을 알지 못하지만, 그에게 있어 그것은 나에게 있어서와 마찬가지로 확고하다; 그것을 확고하다고 간주하는 것은 우리의 의심과 탐구의 방법에 속한다.

152. 나에게 확고한 명제들을 나는 명시적으로 배우지 않는다. 나는 그것들을 나중에, 자전하는 물체의 회전축처럼 발견할 수 있다. 이 축은 고정되어 있다는 뜻으로 확고하지는 않지만, 그것 둘레의 운동이 그것을 부동적인 것으로서 확정한다.

153. 내가 나의 손에 주의를 기울이지 않을 때 나의 손이 사라지지 않는다는 것을 아무도 나에게 가르쳐 주지 않았다. 내가 이 명제의 진리를 나의 주장들 등에서 전제한다고 (마치 그것들이 그 명제에 의존하는 양) 말할 수도 없다. 하지만 그 명제는 우리의 나머지 다른 주장들을 통해 비로소 뜻을 얻는다.

154. 어떤 사람이 우리가 의심하지 않는 곳에서 의심하는 표시들을 할 때, 우리가 그의 표시들을 의심의 표시로서 자신 있게 이해할 수 없는 그런 경우들이 있다.

즉, 우리가 그의 의심의 표시들을 그러한 것으로서 이해하기 위해서는, 그는 특정한 경우들에만 그런 표시들을 하고 다른 경우에는 그런 표시들을 해서는 안 된다.

155. 사람은 어떤 상황들 속에서는 오류를 범할 수 없다. (여기서 "할 수 없다"는 논리적으로 쓰이고 있다. 그리고 그 명제는 사람이 이런 상황들 속에서는 어떤 거짓된 것도 말할 수 없다는 것을 말하지는 않는다.) 만일 무어가 자기에게는 확실하다고 언명한 저 명제들의 반대를 진술한다면, 우리는 그와 견해를 달리할 뿐 아니라 그를 정신 나간 사람으로 여기게 될 것이다.

156. 사람이 오류를 범하기 위해서는, 그는 이미 인류와 일치되게 판단해야만 한다.

157. 만일 어떤 사람이 자신에게 항상 다섯 손가락이 있었는지, 또는 두 손이 있었는지를 기억해 낼 수 없다면 어떻게 될까? 우리는 그를 이해할까? 우리는 그를 이해한다고 확신할 수 있을까?

158. 예컨대, 이 문장을 이루는 단순한 낱말들이 내가 그 의미를 알고 있는 국어 단어들이라는 점에서 나는 오류를 범할 수 있는가?

159. 어린아이들로서 우리는 사실들을, 예컨대 사람은 제각기 뇌가 있다는 것을 배우며, 그 사실들을 믿고 받아들인다. 나는 오스트레일리아 섬이 이러이러한 형태 등으로 존재한다는 것을 믿으며, 나에게 증조부모가 있었으며, 나의 부모로 자처한 분들이 실제로 나의 부모였다는 것 등을 믿는다. 이러한 믿음은 결코 언표되지 않을지도 모른다. 실로, 그게 그렇다는 생각이 아예 나지 않을지도 모른다.

160. 어린아이는 어른들을 믿음으로써 배운다. 의심은 믿음 이후에 온다.

161. 나는 무수히 많은 것을 배웠으며, 그것을 사람들의 권위에 의거하여 받아들였다. 그러고 나서 나는 나 자신의 경험에 의해서 상당수의 것들이 확증되거나 반증됨을 발견하였다.

162. 교과서(예컨대 지리학 교과서)에 있는 것을 나는 일반적으로 참이라고 여긴다. 왜? 나는 말하거니와, 이 모든 사실들은 수백 번 확증되어 왔다. 그러나 나는 그것을 어떻게 아는가? 그것에 대한 나의 증거는 무엇인가? 나는 하나의 세계상을 지니고 있다. 그것은 참인가 거짓인가? 그것은 무엇보다도 나의 모든 연구와 주장의 토대이다. 그것을 기술하는 명제들이 모두 같은 정

도로 검사받는 것은 아니다.

163. 이 책상에 아무도 주의를 기울이지 않을 때 이 책상이 여기 계속 있는지를 누군가가 검사해 보기라도 하는가?

우리는 나폴레옹에 관한 역사는 검사하지만, 그에 관한 모든 보고들이 착각과 속임수 같은 것들에 의거하고 있는지는 검사하지 않는다. 그렇다, 우리가 아무튼 검사를 한다면, 그로써 이미 우리는 검사되지 않는 어떤 것을 전제한다. 이제 나는, 가령 어떤 한 명제를 검사하기 위해 내가 행하는 실험은 내가 보고 있다고 믿는 실험 장치가 여기에 실제로 있다는 (등등의) 명제의 진리를 전제한다고 말해야 하는가?

164. 검사에는 끝이 있지 않은가?

165. 어린아이는 다른 사람에게 "나는 지구가 이미 수백 년이나 나이를 먹었다는 것을 안다"라고 말할 수 있을 것이다. 그리고 그 말은 이런 뜻일 것이다: 나는 그것을 배웠다.

166. 어려운 일은, 우리의 믿음의 무근거성을 통찰하는 것이다.

167. 우리의 경험적 진술들이 모두 같은 지위를 갖지 않는다는 것은 분명하다. 왜냐하면 우리들은 그런 명제를 확립하고 그것을 경험 명제에서 기술(記述) 규범으로 만들 수 있기 때문이다.

화학적 탐구들을 생각해 보라. 라부아지에[28]는 그의 연구실에서 원소 실

---

28 (옮긴이주) 라부아지에(Antoine L. Lavoisier, 1743~1794): 프랑스의 화학자. 산소 결합설을 통해 플로지스톤 연소 이론을 깨뜨리고 질량불변의 법칙을 발견하는 등 근대 화학의 기초를 확립했다.

험들을 하고서, 연소할 적에는 이러저러한 것이 발생한다고 결론 내린다. 그는 다음번에는 실로 다른 일이 일어날 수 있다고 말하지 않는다. 그는 특정한 세계상을 움켜쥐고 있다. 더구나, 그는 물론 그것을 발명한 것이 아니라, 어릴 때 배웠다. 나는 가설이 아니라 세계상이라고 말한다. 왜냐하면 그것은 그의 연구의 자명한 기초이며, 또 그런 것으로서 언표조차 되지 않기 때문이다.

168. 그러나 같은 상황에서는 원소 A가 원소 B에 대해 항상 똑같이 반응한다는 전제는 이제 어떤 역할을 하는가? 또는 그것은 원소의 정의에 속하는가?

169. 화학이 가능하다고 말하는 명제들이 존재한다고 생각할 수 있을 것이다. 그리고 그것들은 자연과학의 명제들일 것이다. 왜냐하면 그것들이 경험에 의지하지 않는다면 무엇에 의지해야 한단 말인가?

170. 나는 사람들이 어떤 방식으로 나에게 전해 주는 것을 믿는다. 그렇게 해서 나는 지리학적, 화학적, 역사적 사실 등을 믿는다. 그렇게 해서 나는 학문들을 배운다. 그렇다, 배운다는 것은 믿는다는 것에 당연히 의거한다.

몽블랑이 4,000미터 높이임을 배운 사람, 지도에서 그것을 찾아 본 적이 있는 사람은 이제 자기는 그것을 안다고 말한다.

그리고 이제 우리들은 이렇게 말할 수 있는가? 즉, 우리가 그렇게 신뢰를 부여하는 까닭은 그것이 그렇게 입증되어 왔기 때문이라고 말이다.

171. 무어가 자기는 달에 간 적이 없다고 가정하는 주된 근거는, 아무도 달에 간 적이 없고 또 갈 수 없었다는 것이다. 그리고 이것을 우리는 우리가 배

우는 것에 근거해서 믿는다.

172. 아마 우리들은 "이런 신뢰에는 그래도 어떤 원리가 있어야만 한다"라고 말할 것이다. 그러나 그러한 원리가 무엇을 성취할 수 있는가? 그것은 '참이라고 여김'이라는 자연법칙 이상의 것인가?

173. 내가 무엇을 믿느냐 하는 것이, 또는 내가 무엇을 흔들림 없이 믿느냐 하는 것이, 도대체 나의 능력 안에 있는가?

나는 저기에 의자가 있다고 믿는다. 내가 오류를 범할 수는 없는가? 그러나 나는 내가 오류를 범하고 있다고 믿을 수 있는가? 실로, 나는 그것을 도대체 고려 대상에 넣을 수 있는가?—그리고 내가 나중에 무엇을 경험하든, 나는 또한 나의 믿음을 고수할 수 있지 않을까?! 그러나 이때 나의 믿음은 근거가 있는가?

174. 나는 충분한 확실성을 갖고 행위한다. 그러나 이 확실성은 나 자신의 것이다.

175. "나는 그것을 안다"라고 나는 다른 사람에게 말한다. 그리고 여기에는 정당화가 존재한다. 그러나 나의 믿음에 대해서는 아무런 정당화도 존재하지 않는다.

176. 상당수의 경우에 우리들은 "나는 그것을 안다" 대신 "사정은 이러하다; 그것을 신뢰하라"라고 말할 수 있다. 그러나 상당수의 경우에는 "나는 그것을 이미 수년 전에 배웠다", 그리고 때때로는 "나는 사정이 이러하다고 확신한다"라고 말할 수 있다.

177. 내가 아는 것을, 나는 믿는다.

178. "나는 …… 안다"란 명제의 쓰임에 관해 무어가 저지르고 있는 잘못은, 그가 그것을 가령 "나는 고통스럽다"와 같이 거의 의심될 수 없는 발언으로 간주한다는 데 있다. 그리고 "나는 사정이 이러하다는 것을 안다"에서부터 "사정은 이러하다"가 따라 나오므로, 이 후자도 그러니까 의심될 수 없다[고 간주하는 데].[29]

179. 이렇게 말하는 것이 옳을 것이다: "나는 …… 믿는다"는 주관적 진리를 지닌다; 그러나 "나는 …… 안다"는 그렇지 않다.

180. 또는 이렇게 말하는 것도 옳을 것이다: "나는 …… 믿는다"는 하나의 표명[30]이지만, "나는 …… 안다"는 그렇지 않다.

181. 만일 무어가 "나는 …… 안다" 대신에 "나는 …… 맹세한다"라고 말했더라면 어떻게 될까?

182. 더 원초적인 상상은, 지구는 결코 시초가 없었다는 것이다. 어떤 아이

---

29 (옮긴이주) 꺽쇠괄호 속의 말은 옮긴이가 덧붙여 해석한 것이다.

30 (옮긴이주) 원말은 'Äußerung'. 이 말은 보통 내면적인 것으로 간주되는 감각, 감정, 믿음 등의 것을 그 (심리학적) 주체가 자연 본성적으로 외적으로 표출함, 또는 그런 것이 그 주체에 의해 언어적, 비언어적 행동으로 표출된 것을 의미한다. 언어적 표출의 경우에 이 말은 보통 '발언'이라고 번역되는데, 비트겐슈타인은 특별히 이 말을 관찰에 기초한 기술(記述)이나 보고와 대조하여 사용하기도 하며, 이 경우 이 말은 '표명'으로 옮긴다. 여기서 비트겐슈타인이 말하고 있는 것은 '안다'라는 개념이 '믿다', '추측하다', '의심하다', '확신하고 있다'라는 개념들과 유사하지 않다는 앞 21절의 지적과 통하는 것으로, '나는……안다'는 '나는 고통스럽다' 같이 거의 의심될 수 없는 일종의 심리 표명의 발언이 아니라는 것이다.

도, 지구가 이미 얼마나 오랫동안 존재해 왔는지 의문을 품을 이유가 없다. 왜냐하면 모든 변화가 지구 위에서 벌어지기 때문이다. 우리들이 지구라 부르는 것이 언젠가 실제로 생겨난 것이라면—이는 꽤 어렵사리 상상될 수 있는데—우리들은 당연히 태곳적에다 그 시초를 가정한다.

183. "나폴레옹이 아우스터리츠 전투 이후에 ……했음은 확실하다. 자, 그렇다면 지구가 그 당시 존재했음도 어쨌든 확실하다."

184. "우리가 100년 전에 다른 행성으로부터 이 행성으로 내려오지 않았다는 것은 확실하다." 자, 그것은 바로 그런 일들이 확실한 만큼 확실하다.

185. 나폴레옹의 존재를 의심하고자 하는 것은 나에겐 우스꽝스럽게 여겨질 것이다. 그러나 어떤 사람이 150년 전의 지구의 존재를 의심한다면, 이제 그는 우리의 증거 체계 전체를 의심하고 있기 때문에, 아마도 나는 좀 더 경청할 용의가 있을 것이다. 나에게는 이 체계가 그 체계 내의 확실함보다 더 확실한 것처럼 여겨지지 않게 된다.

186. "나는 나폴레옹이 전혀 존재한 적이 없으며 하나의 허구라고 가정할 수 있을 것이나, 지구가 150년 전에 존재하지 않았다고 가정할 수는 없을 것이다."

187. "지구가 그 당시 존재했다는 것을 당신은 아는가?"—"물론 나는 그것을 안다. 나는 사정을 정확히 잘 알고 있는 어떤 사람으로부터 그 지식을 얻었다."

188. 그 시대의 지구의 존재를 의심하는 사람은 모든 역사적 증거의 본질을 건드리고 있음이 틀림없는 것처럼 나에겐 여겨진다. 그리고 이 증거에 관해서 나는 그것이 결정적으로 옳다고 말할 수 없다.

189. 언젠가 우리들은 설명으로부터 단순한 기술(記述)에 도달해야 한다.

190. 우리가 역사적 증거라고 부르는 것은, 지구가 내가 태어나기 전에 이미 오랫동안 존재해 왔음을 암시한다;—대립되는 가설 편에 있는 것은 아무것도 없다.

191. 그런데 모든 것이 어떤 한 가설 편에서 말하고, 어떤 것도 그것에 반대하여 말하지 않는다면—그렇다면 그 가설은 확실히 참인가? 우리들은 그것을 그렇게 나타낼 수 있다.—그러나 그것은 실재와, 사실들과 확실하게 일치하는가?—이 물음으로써 당신은 이미 순환하고 있다.

192. 물론 정당화는 존재한다; 그러나 정당화에는 끝이 있다.

* * *

193. 어떤 명제의 참이 확실하다는 것은 무엇을 뜻하는가?

194. "확실하다"라는 낱말로 우리는 완전한 확신, 모든 의심의 부재를 나타내며, 또 그것으로 우리는 다른 사람들을 설득하려고 애쓴다. 그것은 주관적 확실성이다.

그러나 언제 어떤 것이 객관적으로 확실한가?—오류가 가능하지 않을 때. 그러나 그것은 어떤 종류의 가능성인가? 오류는 논리적으로 배제되어야 하지 않는가?

195. 내가 내 방에 앉아 있다고 믿는데 사실은 그렇지 않다면, 사람들은 내가 오류를 범했다고 말하지 않을 것이다. 그러나 이런 경우와 오류 사이의 본질적 차이는 무엇인가?

196. 확실한 증거란 우리가 무조건 확실하다고 받아들이는 것, 그것에 따라 우리가 확신을 갖고 의심 없이 행위하는 것이다.

우리가 "오류"라고 부르는 것은 우리의 언어놀이들에서 아주 특정한 역할을 한다. 그리고 우리가 확실한 증거라고 간주하는 것도 역시 마찬가지다.

197. 그러나 어떤 것이 확실히 참이기 때문에 우리가 그것을 확실한 증거로 간주한다고 말하는 것은 헛소리일 것이다.

198. 오히려 우리는 어떤 명제의 찬반 결정이 지니는 역할을 먼저 고찰해야 한다.

199. "참이거나 거짓"의 쓰임에는 우리들을 오도하는 어떤 것이 있다. 왜냐하면 그것은 마치 "사실들과 일치하거나 일치하지 않음"이라는 말인 듯한데, 그럼에도 불구하고 여기서 "일치"란 무엇인가가 곧바로 문제되기 때문이다.

200. "명제는 참이거나 거짓이다"는 본래, 명제에 대한 찬반 결정이 가능해야 한다는 것을 뜻할 뿐이다. 그러나 그것은 그런 결정을 위한 근거가 어떤

것인지는 말하지 않는다.

201. 누군가가 이렇게 물었다고 생각해 보라: "우리가 우리의 기억(또는 우리의 감각들)의 증거를 우리가 신뢰하고 있듯이 신뢰하는 것은 실제로 옳은가?"

202. 무어의 확실한 명제들은 우리가 이 증거를 신뢰할 권리를 지녔다고 말하는 것에 거의 가깝다.

203. 우리가 증거로 간주하는 모든 것들은,[31] 지구가 내가 태어나기 전에 이미 오랫동안 존재해 왔음을 암시한다. 대립된 가설은 아무런 확증도 받지 못한다.

그런데 모든 것이 어떤 한 가설 편에서 말하고, 어떤 것도 그것에 반대하여 말하지 않는다면,—그 가설은 객관적으로 확실하게[32] 참인가? 우리들은 그것을 그렇게 부를 수 있다. 그러나 그것은 사실들의 세계와 무조건 일치하는가? 기껏해야 그것은 "일치한다"가 무엇을 뜻하는지를 우리에게 보여 준다. 우리는 그것이 거짓이라고 상상하기 어렵다는 것을 발견하지만, 그것을 적용하기도 역시 어렵다는 것을 발견한다.[33]

이러한 일치가, 이 언어놀이들에서 증거인 것이 우리의 명제 편에서 말한다고 하는 것에 있지 않다면, 그것은 도대체 무엇에 있는가? 《논리-철학

31 (옮긴이주) 시디롬 유고에 따르면, 여기에는 다음과 같은 이형(異形)이 있다: '우리가 역사적 증거라고 일컫는 것은'.

32 (옮긴이주) 시디롬 유고에는 '확실하게'가 '객관적으로'의 이형인 것으로 되어 있다.

33 (옮긴이주) 시디롬 유고에 따르면, 이 단락 다음에 다음과 같은 추가 문장이 있다.(이 단락은 앞의 §191과 부분적으로 일치한다. 이에 비추어 보면, 다음 문장의 정확한 위치는 "그러나 그것은 사실들의 세계와 **무조건** 일치하는가?" 다음일 것이다): "—— 이 물음으로써 당신은 이미 순환하고 있다."

논고》.[34])

204. 그러나 근거 제시, 증거의 정당화는 끝이 난다;—그 끝은 그러나 우리에게 곧바로 어떤 명제들이 참인 것으로서 명쾌해지는 것이 아니라, 그러니까 우리쪽에서의 일종의 봄[見]이 아니라, 오히려 언어놀이의 근저에 있는 우리의 행위이다.

205. 참인 것이 근거가 있는 것이라면, 그 근거는 참이 아니며, 거짓도 아니다.

206. 만일 어떤 사람이 우리에게 "그러나 그것은 참인가?"라고 묻는다면, 우리는 그에게 "그렇다"라고 말할 수 있을 것이다. 그리고 만일 그가 근거들을 요구한다면, 우리는 "나는 당신에게 아무 근거도 댈 수 없지만, 당신이 좀 더 배운다면 당신도 역시 같은 의견이 될 것이다"라고 말할 수 있을 것이다.

그런데 만일 그게 그렇게 되지 않는다면, 이는 그가 예컨대 역사를 배울 수 없다는 것을 뜻할 것이다.

207. "두개골이 절개된 모든 사람에게 뇌가 있었다는 묘한 우연!"

208. 나는 뉴욕과 전화 통화를 한다. 내 친구는 자기네 작은 나무들이 이러이러한 꽃봉오리들을 맺었다고 나에게 알려 준다. 이제 나는 꽃봉오리들이 ……하다고 확신하고 있다. 나는 지구가 존재한다고도 확신하고 있는가?

34 (옮긴이주) 아마도 《논고》 2.222("그림의 참 또는 거짓은 그림의 뜻과 현실의 일치 또는 불일치에 있다")와 4.06("명제가 현실의 그림이라는 오직 그 점으로 인해서, 명제는 참이거나 거짓일 수 있다.")를 가리키고 있는 것 같다.

209. 지구가 존재한다는 것은 오히려 나의 믿음의 출발점을 이루는 전체 그림의 일부다.

210. 뉴욕과의 내 전화 통화는 지구가 존재한다는 나의 확신을 확증하는가?
상당수의 것이 우리에게 확고해 보인다. 그리고 그것은 유통(流通)에서 배제된다. 그것은 말하자면 죽은 궤도로 밀려난다.

211. 그것은 이제 우리의 고찰들에, 우리의 연구들에 형식을 준다. 그것은 아마도 한때는 논쟁의 여지가 있었다. 그러나 아마도 그것은 언제부터인지 알 수 없는 먼 옛날부터 우리의 모든 고찰들의 골격에 속해 왔다. (모든 인간은 부모가 있다.)

212. 예컨대, 어떤 상황에서 우리는 어떤 계산이 충분히 검토되었다고 간주한다. 무엇이 우리에게 그럴 권리를 주는가? 경험? 그것은 우리를 속일 수 없었는가? 우리는 그 어디선가 정당화를 그만두어야 한다. 그리고 그 경우 "우리는 이렇게 계산한다"라는 명제가 남는다.

213. 우리의 '경험 명제들'은 하나의 동질적 집단을 형성하지 않는다.

214. 이 책상을 아무도 바라보지 않을 때 그것은 사라져 버리거나 아니면 그 형태와 색깔을 바꾸며, 또 누군가가 그것을 다시 바라볼 때 그것은 그것의 원 상태로 되돌아간다고 내가 가정하는 것을 방해하는 것은 무엇인가?—"그러나 누가 그런 것을 가정하겠는가!", 이렇게 우리들은 말했으면 한다.

215. 여기서 우리는 '실재와의 일치'라는 관념이 명료한 적용을 지니고 있지

않음을 본다.[35]

216. "글로 씌어 있다"[36]라는 문장.

217. 우리의 모든 계산들은 불확실하며, 우리는 어떤 계산에도 의지할 수 없다고 (잘못은 어디서나 가능하다고 자신을 정당화하면서) 가정하는 사람이 있다면, 아마도 우리는 그가 미쳤다고 말하게 될 것이다. 그러나 우리는 그가 오류를 범하고 있다고 말할 수 있는가? 그는 단순히 다른 방식으로 반응하는 것이 아닌가? 즉, 우리는 계산들에 의지하는데, 그는 의지하지 않으며, 우리는 확신하는데, 그는 확신하지 않는다.

218. 나는 내가 일찍이 성층권에 간 적이 있다고 한순간이라도 믿을 수 있는가? 없다. 그럼 나는—무어처럼—그 반대를 아는가?

219. 이성적인 사람으로서 나에게는 거기에 관해 아무런 의심도 있을 수 없다.—바로 그렇다.—

220. 이성적인 사람은 어떤 의심들은 지니지 않는다.

221. 나는 내가 의심하고자 하는 대로 의심할 수 있는가?

35 (옮긴이주) 앞 §§191, 199, 203 참조. 그리고 《철학적 탐구》 §224("일치"라는 낱말과 "규칙"이라는 낱말은 서로 **근친적**이다, 그것들은 사촌 간이다.)와 §202(규칙들 자체는 그것들을 어떻게 따라야 하는지 말해 주지 않는다.) 참조.

36 (옮긴이주) 이 말("Es ist geschrieben")은 '일이 이미 결정되어 있다', '피할 수 없다'는 뜻으로 쓰이는 말이다.

222. 내가 성층권에 간 적이 전혀 없다는 것을 내가 의심하는 것은 불가능하다. 그러므로 나는 그것을 아는가? 그러므로 그것은 참인가?

223. 내가 마침 미쳐 있어서, 내가 무조건 의심해야 할 것을 의심하지 않고 있을 수는 없을까?

224. "나는 그것이 결코 일어난 적이 없다는 것을 안다. 왜냐하면 만일 그것이 일어난 적이 있다면, 내가 그것을 잊는 것은 불가능하였을 터이기 때문이다."

그러나 그것이 일어난 적이 있다고 가정한다면, 좌우간 당신은 그것을 잊은 것이 될 것이다. 그리고 당신은 당신이 그것을 잊는 것이 불가능하였을 것이라는 것을 어떻게 아는가? 단지 이전의 경험으로부터가 아닌가?

225. 내가 꽉 붙잡고 있는 것은 어떤 하나의 명제가 아니라, 한 뭉치의 명제들이다.

226. 내가 언젠가 달에 간 적이 있다는 가정을 나는 도대체 진지하게 고찰할 만한 가치가 있는 것으로 평가할 수 있는가?

227. "도대체 그것이 사람이 잊을 수 있는 것인가?!"

228. "이런 상황에서 사람들은 '아마도 우리 모두가 그것을 잊어버렸을 것이다'와 같은 따위로 말하지 않고, 오히려 ……라고 가정한다."

229. 우리의 말은 우리의 나머지 행위들에 의해 그 뜻을 얻는다.

230. 우리는 자문한다: "나는 …… 안다"란 진술로 우리는 무엇을 하는가? 왜냐하면 우리에게 문제가 되는 것은 정신의 과정들이나 상태들이 아니기 때문이다.

그리고 그렇게 해서 우리들은 어떤 것이 앎이냐 아니냐를 결정해야 한다.

231. 만일 어떤 사람이 지구가 100년 전에 존재했는지를 의심한다면, 나는 그것을 이해하지 못할 것이다. 왜냐하면 나는 과연 이 사람에게 무엇이 여전히 증거로 간주되고 무엇이 증거로 간주되지 않을지를 알지 못할 터이기 때문이다.

232. "우리는 이 사실들을 하나하나 개별적으로는 의심할 수 있을 터이지만, 그 모두를 의심할 수는 없다."

이렇게 말하는 것이 더 옳지 않을까? 즉, "우리는 모든것을 의심하지는 않는다."

우리가 그것들 모두를 의심하지는 않는다는 것은 바로 우리가 판단하는, 그러니까 행위하는 방식이다.

233. 만일 어떤 어린아이가 나에게, 지구는 내가 태어나기 전에 이미 존재해 왔는지를 묻는다면, 나는 그 아이에게, 지구는 내가 태어난 이후에 비로소 존재하는 것이 아니라 이미 오랫동안, 오래전부터 존재해 왔다고 대답하게 될 것이다. 그리고 그때 나는 좀 우스꽝스러운 말을 하고 있다는 느낌이 들 것이다. 가령 그 아이가 이러이러한 산이 자기가 본 적이 있는 높은 집보다 더 높은지 물었을 때와 같이 말이다. 나는 내가 처음으로 하나의 세계상을 가르치는 것이 될 터인 그런 사람에게만 저런 물음에 대해 대답할 수 있을 것이다.

그런데 내가 그 물음에 대해 자신 있게 대답한다면, 나에게 이러한 확신을 주는 것은 무엇인가?

234. 나는 나에게 선조들이 있으며, 또 모든 사람에게 각각 선조들이 있다고 믿는다. 나는 여러 도시들이 있다는 것을, 요컨대 지리학과 역사학의 주요 사실들을 믿는다. 나는 지구가 하나의 물체이며, 그 표면 위에서 우리가 움직인다는 것, 그리고 지구가 이 책상, 이 집, 이 나무 등 그 어떤 다른 고체들과 마찬가지로, 갑자기 사라져 버리거나 하는 그와 같은 일은 하지 않는다는 것을 믿는다. 내가 만일 내가 태어나기 오래전의 지구의 존재를 의심하려 한다면, 나는 나에게 확고한 모든 가능한 것을 의심해야 할 것이다.

235. 그리고 어떤 것이 나에게 확고하다는 것은 나의 어리석음이나 너무 쉽게 믿는 성격에 그 근거가 있는 것이 아니다.

236. 만일 어떤 사람이 "지구는 이미 오랫동안 ……하지 않았다"라고 말한다면,—그것으로 그는 무엇을 건드리게 될까? 나는 그것을 아는가?

그것은 이른바 과학적인 믿음이어야 할까? 그것은 신비적인 믿음일 수 없을까?[37] 그와 동시에 그것은 무조건 역사적 사실들과 모순되어야 할까? 그뿐 아니라, 심지어 지리학적 사실들과도?

237. 만일 내가 "이 책상은 한 시간 전에는 아직 존재하지 않았다"라고 말한다면, 내가 뜻하는 것은 아마도, 그것이 그 후에야 비로소 만들어졌다는 것일 것이다.

---

37 (옮긴이주) 세상이 (가령 유태력에서처럼) 수천 년 전에 창조되었다는 종교적 믿음의 경우를 생각해 볼 수 있을 것이다.

내가 “이 산은 그 당시 아직 존재하지 않았다”라고 말한다면, 아마 나는 그것이 그 후에야 비로소—아마도 화산 작용으로—형성되었다는 것을 뜻할 것이다.

내가 “이 산은 반 시간 전에는 아직 존재하지 않았다”라고 말한다면, 그것은 내가 무엇을 뜻하는지가 명료하지 않은, 매우 이상한 진술이다. 예컨대, 내가 거짓된 것이지만 과학적인 어떤 것을 뜻하고 있는지 여부. 아마 우리들은, 그 산이 그 당시 아직 존재하지 않았다고 하는 진술은 그 맥락이 어떻게 생각되든 아주 명료하다고 생각할 것이다. 그러나 누군가가 “이 산은 1분 전에는 아직 존재하지 않았고, 오히려 정확히 같은 것이 존재했다”라고 말했다고 생각해 보라. 오직 익숙한 환경만이 그 뜻해진 바가 무엇인지를 명료하게 드러나게 한다.

238. 그러니까 나는 자신이 태어나기 전에는 지구가 존재하지 않았다고 말하는 사람에게, 그가 나의 확신들 중 어떤 것들과 모순되어 있는지를 발견해 내기 위해 계속 물어 나갈 수 있을 것이다. 그리고 그때 그가 나의 근본 관점들과 모순되는 일이 있을 수있을 것이다. 그리고 만일 그렇다면, 그 정도에서 나는 끝내야 할 것이다.

이것은 그가 자기는 언젠가 달에 간 적이 있다고 말할 때도 비슷하다.

239. 그렇다, 나는 모든 사람에게 각각 두 사람의 부모가 있다고 믿는다. 그러나 가톨릭교도들은 예수에게 단지 어머니 한 분만 있었다고 믿는다. 그리고 다른 사람들은, 아무런 부모도 없이 태어난 인간들이 존재한다고 믿으며, 모든 반대되는 증거를 일절 믿지 않을 수 있을 것이다. 가톨릭교도들은 또한 성체가 어떤 상황에서는 그 본질을 완전히 바꾼다고 믿으며, 동시에 모든 증거가 그 반대를 증명한다고 믿는다. 그러니까 만일 무어가 “나는 이것

이 포도주이지 피가 아니라는 것을 안다"라고 말한다면, 가톨릭교도들은 그와 모순되게 될 것이다.

240. 모든 사람에게 부모가 있다는 믿음은 무엇에 근거하는가? 경험에. 그런데 이렇게 확실한 믿음의 근거를 나는 어떻게 나의 경험에 둘 수 있는가? 자, 나는 그 믿음의 근거를 내가 어떤 사람들의 부모들을 알고 있었다는 것에 둘 뿐 아니라, 내가 사람들의 성생활과 해부학 및 생리학에 관해서 배운 모든 것에, 또 내가 동물들에 관해서 보고 들은 것에도 둔다. 그러나 이것이 도대체 실제로 하나의 증명인가?

241. 여기에는, 내[38]가 믿다시피, 되풀이해서 완전하게 확증되는 어떤 하나의 가설이 있지 않은가?

242. 우리는 도처에서, "나는 이것을 확고하게 믿는다"라고 말해야 하지 않는가?

243. 우리들은 강력한 근거들을 제시할 준비가 되어 있을 때, "나는 …… 안다"라고 말한다. "나는 안다"는 진리의 해명 가능성과 관련되어 있다. 어떤 사람이 어떤 것을 아는지는, 그가 그것을 확신하고 있다고 가정한다면, 보여줄 수 있다.

그러나 그가 믿는 것이, 그가 제시할 수 있는 근거들이 그의 주장보다 더 확실하지 않은 그런 종류의 것이라면, 그는 자기가 믿고 있는 것을 안다고 말할 수 없다.

---

38 (옮긴이주) 비트겐슈타인이라기보다는, 앞 절에서 언급된 나. 즉, 모든 사람에게 부모가 있다는 것과 같은 믿음도 경험과 학습 등에 근거하여 증명될 수 있는 하나의 가설이라고 여기는 사람.

244. 만일 어떤 사람이 "나는 몸이 있다"라고 말한다면, 우리들은 그에게 "여기서 이렇게 입을 놀리는 게 누구지?" 하고 물을 수 있다.

245. 어떤 사람이 어떤 것을 안다고 말할 때, 그는 누구에게 말하는가? 자기 자신에게 아니면 다른 사람에게. 그가 그것을 자기 자신에게 말한다면, 그것은 그가 사정이 그러함을 확신한다고 하는 확언과 어떻게 구별되는가? 내가 어떤 것을 안다고 하는 주관적 확신이란 없다. 확실성은 주관적[39]이지만, 앎은 그렇지 않다. 그러므로 만일 내가 "나는 나에게 두 손이 있음을 안다"라고 말한다면, 그리고 그것이 단지 나의 주관적 확실성을 표현하는 것이 아니라고 한다면, 나는 내가 옳다는 것을 확인할 수 있어야 한다. 그러나 나는 그것을 할 수 없다. 왜냐하면 나에게 두 손이 있다는 것이, 내가 그것들을 바라보기 전보다 바라본 후에 더 확실하지는 않기 때문이다. 나는 그러나 이렇게 말할 수 있을 것이다: "나에게 두 손이 있다는 것은 무너뜨릴 수 없는 믿음이다." 이는 내가 그 어떤 것을 이 명제의 반증으로서 인정할 준비가 되어 있지 않음을 표현할 것이다.

246. "여기서 나는 나의 모든 믿음의 기초에 도달하였다." "나는 이 입장을 취할 것이다!" 그러나 이것은 단지, 내가 그것에 관해 완전히 확신하고 있다는 바로 그 때문이 아닌가?—완전히 확신하고 있다는 것은 어떤 것인가?

247. 나에게 두 손이 있다는 것을 지금 의심하는 것은 어떠할까? 왜 나는 그것을 전혀 상상할 수 없는가? 만일 내가 그것을 믿지 않는다면 나는 무엇을 믿게 될까? 나는 이런 의심이 존재할 수 있을 체계를 아직 전혀 갖고 있지 않다.

---

39 (옮긴이주) 여기서 말하는 확실성은 어떤 사람이 "나는 사정이 그러함을 확신한다"라고 말할 때의 확실성. 앞 §194에 따르면, 확실성에는 주관적 확실성뿐 아니라 객관적 확실성도 있다.

248. 나는 나의 확신들의 밑바닥에 도달하였다.

그리고 이 기초벽에 관해 우리들은, 그것은 집 전체의 지지를 받는다고 거의 말할 수 있을 것이다.

249. 우리들은 의심에 관해 잘못된 그림을 그린다.

250. 나에게 두 손이 있다는 것은, 정상적인 상황에서는, 내가 그것에 대한 증거로 제공할 수 있을 그 어떤 것만큼이나 확실하다.

그런 까닭에 나는 나의 손을 바라봄을 그것에 대한 증거로서 파악할 수 없다.

251. 이는 내가 무조건 이 믿음에 따라 행위할 것이며, 어떤 것도 나를 현혹하지 못하게 할 것임을 뜻하지 않는가?

252. 그렇지만 그것은 나에게 두 손이 있음을 나는 이런 방식으로 믿는다는 것뿐만이 아니라, 이성적인 사람은 누구나 그렇게 한다는 것이기도 하다.

253. 근거 있는 믿음의 근거에는 근거 없는 믿음이 놓여 있다.

254. '이성적인' 사람은 누구나 그렇게 행위한다.

255. 의심함에는 모종의 특징적 표시들이 있다. 그러나 그것들은 의심함에 대해 오직 어떤 상황들 속에서만 특징적이다. 만일 어떤 사람이 자기는 자신의 손의 존재를 의심한다고 말한다면, 자신의 손을 모든 면에서 되풀이해서 관찰한다면, 신기루 같은 것이 앞에 놓여 있지는 않음을 확인해 보려고 한다

면, 우리는 그것을 의심이라고 불러야 할지 확신하지 못할 것이다. 우리는 그의 행위 방식을 의심하는 행위 방식과 비슷한 것으로 기술할 수 있을 터이지만, 그러나 그의 놀이는 우리의 놀이가 아닐 것이다.

256. 다른 한편으로, 언어놀이는 시간과 더불어 변화한다.

257. 만일 나에게 어떤 사람이 자기는 자기에게 몸이 있는지를 의심한다고 말한다면, 나는 그를 반편이로 여기게 될 것이다. 그러나 나는 그가 몸이 있음을 그에게 납득시킨다는 것이 무엇을 뜻할지 알지 못할 것이다. 그리고 내가 어떤 것을 말했는데 이제 그것이 그 의심을 제거했다면, 어떻게 그리고 왜 그러한지 나는 모를 것이다.

258. "나는 몸이 있다"란 명제가 어떻게 사용될 수 있는지 나는 알지 못한다.

이것은 내가 항상 지구 위에 또는 가까이에 있었다는 명제에 대해서는 무조건 성립하지 않는다.

259. 지구가 100년 전부터 존재해 왔다는 것을 의심하는 사람은 과학적인 의심 아니면 철학적인 의심을 지니고 있는 것일 수 있을 것이다.

260. 나는 "나는 안다"라는 표현을 정상적인 언어 교류에서 쓰이는 경우들을 위해 유보했으면 한다.[40]

---

40 (옮긴이주) 앞의 §§31∼33 참조.

261. 나는 지금 지난 100년 동안의 지구의 존재에 대한 이성적인 의심을 상상할 수 없다.

262. 나는 아주 특별한 상황에서 성장한 사람을 상상할 수 있다. 그는 지구가 50년 전에 생성되었다고 배워 왔으며, 그래서 또한 이를 믿는다. 이 사람에게 우리는 가르칠 수 있을 것이다. 지구는 이미 오랫동안 존재해 왔다고 하는 따위를.—우리는 그에게 우리의 세계상을 주려고 노력하게 될 것이다.

이는 일종의 설득을 통해서 일어날 것이다.

263. 학생은 자신의 선생들과 교과서들을 믿는다.

264. 나는 무어가 미개한 종족에게 붙잡히고, 이 사람들이 그가 지구와 달 사이 그 어딘가에서 왔을 거라는 의혹을 표명하는 경우를 생각할 수 있을 것이다. 무어는 그들에게 자기는 ……[41] 안다고 말하지만, 그들에게 자신의 확신에 대한 근거들을 제시할 수는 없다. 왜냐하면 그들은 인간의 비행(飛行) 능력에 관해 환상적인 생각들을 지니고 있고, 물리학에 관해서 아무것도 모르기 때문이다. 이것이 저 진술을 하는 하나의 경우일 것이다.

265. 그러나 그 진술은 "나는 결코 이러이러한 곳에 간 적이 없으며, 이를 믿을 만한 강력한 근거들을 갖고 있다"는 것 말고 더 무엇을 말하는가?

266. 그리고 여기서, 강력한 근거들이 무엇인지는 더 이야기가 되어야 할 것이다.

41 (옮긴이주) 점선은 "항상 지구 위에 또는 가까이에 있었다는 것을"(또는 "지구 표면에서 멀리 떨어져 본 적이 없다는 것을")의 생략이다.

267. "나는 나무의 시각적 인상만을 지니고 있는 것이 아니라, 그것이 나무라는 것도 안다."[42]

268. "나는 이것이 손이라는 것을 안다."—그런데 무엇이 손인가?—"자, 예컨대 이것."[43]

269. 나는 내가 결코 달에 간 적이 없다는 것을 내가 결코 불가리아에 간 적이 없다는 것보다 더 확신하는가? 왜 나는 그렇게 확신하는가? 자, 나는 그 근처 어디에도, 예컨대 발칸 지방 어디에도 간 적이 없다는 것을 안다.

270. "나는 나의 확신에 대해 강력한 근거들을 갖고 있다." 이 근거들이 그 확신을 객관적으로 만든다.

271. 어떤 것에 대한 설득력 있는 근거가 무엇이냐는 내가 결정하지 않는다.

272. 나는 안다=나에게 확실한 것으로서 친숙하다.[44]

273. 그러나 언제 우리들은 어떤 것에 대해서, 그것이 확실하다고 말하는가?

왜냐하면 어떤 것이 확실한지에 관해서는 논쟁이 벌어질 수 있기 때문이다; 다시 말해 언제 어떤 것이 객관적으로 확실한지에 관해서.

---

42 (옮긴이주) 이 말의 문제점은 어떤 것이 어떻게 보인다는 것과 실재의 관계에 대한 §2의 소견(그리고 거기 딸린 각주)과, 앎과 의심과의 관계에 대한 지금까지의 소견들을 상기해 보면 분명해질 것이다.

43 (옮긴이주) 처음의 인용문에서 눈앞의 손을 가리키기 위해 사용된 '이것'이 또한 손이란 무엇인가를 설명하는 데도 쓰인다는 점, 다시 말해 인용된 그 무어의 명제는 문법적 성격을 지닌다는 점을 보인다.

44 (옮긴이주) 뒤의 §582 참조.

우리에게 확실하다고 여겨지는 일반적 경험 명제들이 부지기수로 존재한다.

274. 팔이 절단된 사람에게 팔이 다시 자라나지는 않는다는 것이 그러한 명제들 중 하나이다. 목이 잘린 사람은 죽었으며 결코 다시 살아나지 않는다는 것은 또 다른 하나이다.

우리들은 경험이 우리에게 이 명제들을 가르쳐 준다고 말할 수 있다. 그러나 경험은 그것들을 우리에게 고립적으로 가르치지 않는다. 그것은 오히려 다수의 상호 연관된 명제들을 우리에게 가르친다. 만일 그것들이 고립되어 있다면, 나는 아마 그것들을 의심할 수 있을 것이다. 왜냐하면 나는 그것들에 해당하는 경험이 전혀 없기 때문이다.

275. 경험이 우리의 이런 확실성의 근거라면, 그것은 당연히 과거의 경험이다.

그리고 그것은 가령 단지 나의 경험이 아니라, 나에게 인식을 얻게 해 준 다른 사람들의 경험이다.

그런데 우리로 하여금 다른 사람들을 믿게 하는 것은 다시 경험이라고 말할 수 있다. 그러나 어떤 경험이 나로 하여금 해부학 및 생리학 책들이 거짓된 것을 포함하지 않는다고 믿도록 만드는가? 이 신뢰도 역시 나 자신의 경험에 의해 뒷받침된다는 것은 분명 참이다.

276. 말하자면 우리는 이 커다란 빌딩이 여기 있음을 믿으며, 이제 우리는 때로는 여기서 작은 모서리 하나를, 때로는 저기서 작은 모서리 하나를 본다.[45]

45 (옮긴이주) 우리는 경험을 통해 다수의 상호 연관된 명제들의 커다란 체계(빌딩)를 전체적으로 배우며, 그 가운데에서 개별 명제들을 본다. §§140~144와 §274 참조.

277. "나는 …… 믿지 않을 수 없다."

278. "사정이 그렇다니 나는 안심이 된다."

279. 자동차가 땅에서 자라지 않는다는 것은 전적으로 확실하다.—만일 어떤 사람이 그 반대를 믿을 수 있다면, 그는 우리가 불가능하다고 설명하는 모든것을 믿을 수 있으며, 또 우리가 확실하다고 여기는 모든 것에 대해서 이의를 제기할 수 있을 것이라고 우리는 느낀다.

그러나 이 한 믿음은 나머지 모든 믿음들과 어떻게 연관되는가? 우리는 그런 것을 믿을 수 있는 사람은 우리의 전체 검증 체계를 받아들이지 않는 것이라고 말했으면 한다.

이 체계는 인간이 관찰과 교육을 통해 받아들이는 어떤 것이다. 나는 일부러, "배우는 어떤 것"이라고 말하지 않는다.

280. 그는 이러이러한 것을 보고 이러이러한 것을 듣고 난 다음에는, ……임을 의심할 수 없다.

281. 나 루트비히 비트겐슈타인은 내 친구의 몸속이나 머리 속에 톱밥이 들어 있지 않다는 것을—비록 내가 그것에 대해 직접적인 감각 증거를 갖고 있지는 않지만—믿는다, 확신한다. 나는 내가 들은 것과 내가 읽은 것, 그리고 나의 경험에 근거해서 확신한다. 그것을 의심하는 것은 미친 짓이라고 나에게는—물론 다른 사람들과도 일치하여—보인다; 그러나 나는 그들과 일치한다.

282. 나는 고양이들이 나무들에서 자라나지 않는다는 견해나 나에게 아버

지 한 분과 어머니 한 분이 있었다는 견해에 대해 내가 좋은 근거들을 갖고 있다고 말할 수 없다.

어떤 사람이 그것을 의심한다면—어떻게 그런 일이 일어났다고 해야 하는가? 그는 자기에게 부모가 있었다는 것을 처음부터 결코 믿어 본 적이 없다고 해야 하는가? 그러나 그가 그것을 배운 적이 없다면, 이런 의심이 도대체 생각될 수나 있는가?

283. 왜냐하면 우리들이 어린아이에게 가르쳐 주는 것을 어떻게 어린아이가 곧바로 의심할 수 있는가? 그것은 단지, 그 아이가 어떤 언어놀이를 배워 익힐 수 없으리라는 것을 의미할 수 있을 뿐이다.

284. 사람들은 대단히 먼 옛날부터 동물들을 죽여 그것들의 털과 뼈 등을 어떤 목적들을 위해 써 왔다. 사람들은 비슷한 모든 동물에서 비슷한 부분들을 발견하는 것에 확고하게 의존해 왔다.

사람들은 항상 경험에서 배워 왔다. 그리고 그들의 행위에서 우리들은 그들이 어떤 것을 확고하게 믿는다는 것을—그들이 이 믿음을 언표하든 언표하지 않든—알아챌 수 있다. 이로써 내가 말하고자 하는 것은 물론, 인간이 그렇게 행위해야 마땅하다는 것이 아니라, 단지 인간은 그렇게 행위한다는 것이다.

285. 어떤 사람이 어떤 것을 찾고 있고, 가령 특정한 장소에서 땅을 파헤친다면, 그와 동시에 그는 그가 찾고 있는 것이 거기에 있다고 믿고 있음을 보여 준다.

286. 우리가 무엇을 믿느냐는 우리가 무엇을 배우느냐에 달려 있다. 우리 모

두는 달에 가는 것이 불가능하다고 믿는다. 그러나 그것이 가능하고 또 그런 일이 때때로 일어난다고 믿는 사람들이 존재할 수 있을 것이다. 우리는 말한다: 이들은 우리가 아는 많은 것을 알지 못한다. 그리고 그들이 자신들의 일을 제아무리 확신하더라도—그들은 오류에 빠져 있고, 우리는 그것을 안다.

우리가 우리의 앎의 체계를 그들의 것과 비교한다면, 그들의 체계는 훨씬 더 빈약한 것으로 드러난다.

1950년 9월 23일

287. 다람쥐는 다음 겨울에도 역시 저장물들이 필요하게 된다는 것을 귀납을 통해 추론하지 않는다. 그리고 그와 꼭 마찬가지로 우리는 우리의 행위들과 예측들을 정당화하기 위해서 귀납 법칙을 필요로 하지 않는다.

288. 나는 지구가 내가 태어나기 전에 오랫동안 존재해 왔다는 것뿐만 아니라, 지구가 하나의 커다란 물체라는 것, 사람들이 이를 밝혀냈다는 것, 나와 다른 사람들에게 많은 선조들이 있다는 것, 그 모든 것에 관해 책들이 존재한다는 것, 그런 책들이 거짓말하지 않는다는 것 등등도 역시 안다. 그런데 그 모든 것을 나는 아는가? 나는 그렇게 믿는다. 이 앎의 덩어리는 나에게 전승되었으며, 나에게는 그것을 의심할 만한 아무 근거가 없다. 오히려, 가지가지의 확증들이 있다.

그런데 왜 나는 내가 그 모든 것을 안다고 말해서는 안 되는가? 우리들은 바로 그렇게 말하지 않는가?

그러나 단지 나만 그 모든 것을 알거나 믿는 것이 아니라, 다른 사람들도 마찬가지이다. 또는 오히려, 나는 그들이 그렇게 믿는다고 믿는다.

289. 나는 다른 사람들이 모든 사정은 그렇다는 것을 믿는다고, 안다고 믿는

다고, 굳게 확신하고 있다.

290. 나는 스스로 내 책에다가, 어린아이는 낱말을 이러이러하게 이해하는 법을 배운다고 적어 넣었다. 나는 그것을 아는가, 아니면 그것을 믿는가? 왜 그런 경우에 나는 "나는 …… 믿는다"라고 적지 않고, 단순히 그 주장 문장을 적는가?

291. 우리는 지구가 둥글다는 것을 안다. 우리는 그것이 둥글다는 것을 마침내 확인하였다.

우리의 전체 자연관이 변하지 않는다면, 우리는 이 견해를 고수할 것이다. "그걸 당신이 어떻게 아는가?"—나는 그렇게 믿는다.

292. 더 이상의 시도들은 이전의 시도들을 거짓말이라고 비난할 수 없고, 기껏해야 우리의 전체 고찰을 바꿀 수 있을 뿐이다.

293. "물은 100℃에서 끓는다"라는 명제도 비슷하다.

294. 우리는 그렇게 확인을 하며, 우리들은 그것을 "올바르게 확신하고 있다"라고 부른다.

295. 그러므로 이런 뜻에서 우리들은 그 명제의 증명을 얻지 않는가? 그러나 동일한 것이 다시 발생했다는 것이 그것에 대한 증명은 아니다. 그러나 우리는 그것이 우리에게 이렇게 가정할 권리를 준다고 말한다.

296. 이것을 우리는 우리의 가정들에 대한 "경험적 근거 제시"라고 부른다.

297. 우리는 이러이러한 시도들이 이러이러하게 출발하였다는 것만을 배우고 마는 것이 아니라 그 결론도 배운다. 그리고 거기에는 물론 아무것도 잘못된 것이 없다. 왜냐하면 이 명제는 특정한 쓰임을 위한 하나의 도구이기 때문이다.

298. 우리가 그것을 전적으로 확신한다는 것은, 모든 개인이 각각 그것을 확신한다는 것만이 아니라, 우리가 과학과 교육을 통해 결합되어 있는 하나의 공동체에 속한다는 것도 뜻한다.

299. 우리는 지구가 둥글다고 확신하고 있다.[46]

* * *

1951년 3월 10일

300. 우리의 견해들에 대한 교정(矯正)이 모두 같은 단계에 있지는 않다.

301. 지구가 내가 태어나기 전에 이미 오랫동안 존재해 왔다는 것이 참이 아니라고 가정한다면, 이러한 잘못을 발견한다는 것을 우리들은 어떻게 상상해야 하는가?

302. 만일 아무런 증거도 신뢰할 수 없다면—지금 이 앞에 있는 증거의 경우도 신뢰할 수가 없다면,—"아마도 우리는 오류를 범하고 있다"라고 말하는 것은 아무 소용이 없다.

46 (옮긴이주) 이 문장은 영어로 적혀 있다: "We are satisfied that the earth is round."

303. 예컨대 우리가 언제나 잘못 계산해 왔고 12×12는 144가 아니라면, 왜 우리가 그 어떤 다른 계산을 신뢰해야 할까? 그리고 그것은 물론 잘못 표현되어 있다.

304. 그러나 나는 또한 이 곱셈 공식에서 오류를 범하고 있는 것도 아니다. 언젠가 나중에 나는 내가 지금 혼동하고 있었다고 말할지도 모르지만, 내가 오류를 범했다고 말하지는 않을 것이다.

305. 여기서 다시 상대성 이론의 걸음과 비슷한 한 걸음이 필요하다.[47]

306. "이것이 손인지 나는 모르겠다." 그러나 당신은 "손"이란 낱말이 무엇을 의미하는지는 아는가? 그리고 "나는 그것이 지금 나에게 무엇을 의미하는지 안다"라고 말하지 말라. 그리고 이 낱말이 이렇게 쓰인다는 것은 하나의 경험적 사실이 아닌가?

---

47 (옮긴이주) 비트겐슈타인은 《수학의 기초에 관한 소견들》(3판) VI §28에서 언어놀이의 근저에 있는 규칙 따르기의 본성 – 언어놀이를 위한 척도로서의 규칙의 확실성 혹은 견고성 – 에 대한 자신의 고찰과 상대성 이론의 유사성을 언급한 바 있다. 지금의 논의에서도 상대성 이론의 걸음과 비슷한 한 걸음은 우선, 우리의 믿음의 체계에서 그러한 척도에 해당하는 것이 지니는 확고한 지위가 본래 정해져 있는 것이 아니라 그것의 (체계 내에서의) 상대적 역할에 기인한다는 점과 관계된다. 즉, 앞에서 강물과 강바닥의 비유(§§96~97)나 집과 기초벽의 비유(§248)를 통해서도 표현되었지만, 이른바 '축(軸) 명제들'의 규범적 지위는 축 자체가 본래적으로 지니는 것이 아니라, 나머지 경험 명제들과의 관계에서 상대적으로, 그러니까 "그것 둘레의 운동이 그것을 부동적인 것으로 확정"(§152)하는 데서 주어진다는 것이다. 상대성 이론의 걸음과 비슷한 다른 또 한 걸음은 "우리의 견해들에 대한 교정(矯正)이 모두 같은 단계에 있지는 않다"라는 점과 관계된다. 이 경우, 언어놀이에서 어느 한도 이상의 의심이나 잘못은 믿음들의 진리성 여부 문제에 그치지 않고, 다음 절에서 보듯, 해당하는 말의 의미 이해 여부의 문제로 이행해 갈 수 있다. 어느 한도 이상의 의심이나 잘못은 단순히 통상적으로 이해 가능한 오류라기보다는 오히려 말의 의미에 대한 이해 결여 – 일종의 정신착란 아니면 있을 수 없을 – 에 해당하는 것이 될 수 있다는 점이다. 두 걸음 모두 비트겐슈타인이 《철학적 탐구》 §284에서 언급한 이른바 "'양에서 질'로의 이행"에 해당하는 경우라고 할 수 있을 것이다.

307. 그런데 여기서 이상한 것은, 내가 그 낱말들의 쓰임을 전적으로 확신하고 그것에 대해 아무런 의심도 하지 않지만, 그래도 나는 나의 행위 방식에 대해 아무런 근거들을 제시할 수 없다는 것이다. 만일 내가 시도한다면 나는 1,000개라도 제시할 수 있겠지만, 그것들이 근거를 대야 할 바로 그것만큼 확실한 근거는 제시할 수 없을 것이다.

308. '앎'과 '확신'은 상이한 범주에 속한다. 그것들은 가령 '추측함'과 '확신함'과 같은 두 가지의 '정신 상태'가 아니다. (나는 여기서 "나는 (예를 들어) '의심'이란 낱말이 무엇을 의미하는지를 안다"라고 말하는 것이 나에게 뜻이 있으며, 또 이 문장이 "의심"이란 낱말에 어떤 논리적 역할을 부여한다고 가정한다.) 이제 우리에게 흥미 있는 것은 확신함이 아니라 앎이다. 즉, 우리에게 흥미 있는 것은, 판단이란 것이 아무튼 가능해야 한다면 어떤 경험 명제들에 대해서는 아무런 의심도 존재할 수 없다는 것이다. 또는 심지어: 나는 경험 명제의 형식을 지닌 것이 모두 경험 명제는 아니라고 믿는 경향이 있다.

309. 규칙과 경험 명제가 서로 융합한다는 것인가?

310. 한 학생과 한 선생. 학생은 예컨대 사물들의 존재, 낱말들의 의미 등을 의심함으로써 (선생을) 끊임없이 중단시키기 때문에, 아무것도 설명될 수 없게 만든다. 선생이 말한다: "더는 중단시키지 말고, 내가 너에게 말하는 것을 해라; 네 의심은 지금 전혀 아무 뜻도 없다."

311. 또는 학생이 역사를 (그리고 그것과 연관된 모든 것을) 의심했고, 심지어 지구가 100년 전에 도대체 존재했었는지조차도 의심했다고 생각해 보라.

312. 여기서 나에게는 이 의심이 공허한 것처럼 보인다. 그러나 그 경우 역사에 대한 믿음도 역시 그렇지 않은가? 그렇지 않다; 이 후자에는 매우 많은 것이 연관되어 있다.

313. 그럼 그것이 우리로 하여금 한 명제를 믿게 만드는 것인가? 자, "믿다"의 문법은 믿어진 명제의 문법과 바로 연관되어 있다.

314. 학생이 실제로 이렇게 물었다고 생각해 보라: "그런데 제가 뒤로 돌아설 때도 책상은 거기에 있나요? 그리고 아무도 그것을 보지 않을 때도요?" 그때 선생은 학생을 진정시키고, "물론 그건 거기 있지!" 하고 말해야 하는가?

아마도 선생은 약간 초조해질 것이지만, 그러나 학생이 그런 질문들을 하는 버릇을 곧 버릴 거라고 생각한다.

315. 즉, 선생은 이것이 원래 정당한 질문이 아니라고 느낄 것이다.

그리고 학생이 자연의 법칙성을, 그러니까 귀납추리들의 정당성을 의심했을 때도 마찬가지이다.—선생은 그것이 자신과 학생을 단지 지체시킬 뿐이라고, 그것 때문에 학생이 배움에서 단지 그 자리에 머무르고 더 나아가지 못하는 것이라고 느끼게 될 것이다.—그리고 그는 옳을 것이다. 그건 마치 누군가가 방 안에서 어떤 대상을 찾아내야 하는 것과 같을 것이다. 그는 서랍 하나를 열고 그 안에서 그것을 보지 못한다; 그때 그는 그 서랍을 다시 닫고 기다린 다음, 다시 그 서랍을 열어 그것이 이제는 아마 그 안에 있지 않을까 하고 들여다보고, 그렇게 계속해 나간다. 그는 찾는 법을 아직 배우지 못하였다. 그리고 그처럼, 저 학생은 묻는 법을 아직 배우지 못하였다. 우리가 그에게 가르치려 하는 그 놀이를 배우지 못하였다.

316. 그리고 그것은 지구가 실제로 ……했는지에 대한 의심을 통해서 그 학생이 역사 수업을 지체시켰을 때와 같은 것이 아닌가?

317. 이 의심은 우리 놀이의 의심들에 속하지 않는다. (그러나 이는 우리가 이 놀이를 스스로 골랐다는 것은 아니다!)

1951년 3월 12일
318. '그 의문은 전혀 생기지 않는다.' 그 의문에 대한 대답은 하나의 **방법**을 특징짓게 될 것이다. 그러나 방법론적 명제들과 한 방법 내부의 명제들 사이에 명확한 경계선은 없다.

319. 그러나 그 경우 우리들은 논리의 명제들과 경험 명제들 사이에는 명확한 경계선이 존재하지 않는다고 말해야 하지 않을까? 그 불명확함은 바로 **규칙**과 경험 명제 사이의 경계선의 불명확함이다.

320. 여기서 우리들은 '명제'라는 개념 자체가 명확하지 않다는 것을 명심해야 한다고 나는 믿는다.[48]

321. 아무튼 내 말은, 모든 경험 명제는 각각 하나의 공준(公準)으로 변형될 수 있고—그리하여 하나의 묘사 규범이 된다는 것이다. 그러나 이에 대해서도 나는 불신이 있다. 그 문장은 너무 일반적이다. 우리들은 거의 이렇게 말했으면 한다. 즉, "이론적으로, 모든 경험 명제는 각각 ……로 변형될 수 있

48 (옮긴이주) '명제'의 원말 'Satz'는 '문장', '원칙' 등의 의미를 지닌다. 여기서 말하는 '명제' 개념의 불명확성은, 앞 절에서 지적된 점, 즉 명제가 논리적인 것과 경험적인 것 사이에서 경계선이 불명확하다고 할 수 있다는 점을 염두에 두고 하는 말이다.

다"라고. 그러나 여기서 "이론적으로"는 무엇을 뜻하는가? 그것은 지나치게 《논리-철학 논고》 식의 소리처럼 들린다.[49]

322. 이 산이 유사 이래 항상 거기에 있었다는 것을 학생이 믿으려 하지 않는다면 어떻게 될까?

우리는 그가 이 불신에 대해 실로 전혀 아무런 근거도 갖고 있지 않다고 말할 것이다.

323. 그러므로 이성적인 불신은 근거가 있어야 하는가?

우리는 이렇게도 말할 수 있을 것이다: "이성적인 사람은 이것을 믿는다."

324. 그러므로 우리는 과학적 증거를 무시하고 어떤 것을 믿는 사람을 이성적이라고 부르지 않을 것이다.

325. ……임을 우리가 안다고 말할 때, 우리는 우리의 입장에 있는 이성적인 사람은 누구나, 그것을 의심하는 것은 비이성적이라는 것도 역시 알리라고 생각한다. 그래서 무어도, 자기가 어떠어떠하다는 것을 자기는 안다고 말할 뿐 아니라, 자기의 입장에서는 이성을 지닌 사람이면 누구나 똑같이 그것을 알리라고 말하고자 한다.

---

49 (옮긴이주) 《논고》에서 비트겐슈타인은 모든 (경험) 명제 각각이 "사정이 이러이러하다"라는 형식을 지니며, 이는 이론적으로 "$[\bar{p}, \bar{\xi}, N(\bar{\xi})]$"라는 — 즉, 모든 명제는 어떤 요소 명제들로부터 그것들을 동시에 부정하는 진리 함수적 연산의 계속적 적용을 통해 얻어진다는 — '명제의 일반 형식'을 지니는 것으로서 설명될 수 있다고 보았다.

326. 그러나 이 입장에서 무엇을 믿는 것이 이성적인지를 누가 우리에게 말해 주는가?

327. 그러므로 우리들은 이렇게 말할 수 있을 것이다: "이성적인 사람은, 지구가 자신이 태어나기 전에 아주 오랫동안 존재해 왔다는 것, 자신의 삶이 지구의 표면이나 그로부터 멀지 않은 곳에서 영위되어 왔다는 것, 자신이 예컨대 달에 전혀 간 적이 없다는 것, 자신이 다른 모든 사람들처럼 하나의 신경 체계와 여러 가지 내장들을 지니고 있다는 것 등등을 믿는다."

328. "나는 그것을, 내 이름이 루트비히 비트겐슈타인이라는 것을 내가 아는 것처럼 그렇게 안다."

329. "그가 그것을 의심한다면—여기서 '의심한다'가 무엇을 뜻하건—그는 이 놀이를 결코 배워 익히지 못할 것이다."

330. 그러므로 여기서 "나는 …… 안다"라는 문장은 어떤 것들을 믿을 준비가 되어 있음을 표현한다.

3월 13일
331. 아무튼 우리가 믿음에 의거하여 확신을 갖고 행위한다면, 우리는 우리가 많은 것을 의심할 수 없다는 것에 놀라야 하는가?

332. 누군가가 철학한다는 의욕 없이 다음과 같이 말할 경우를 생각해 보라: "나는 내가 일찍이 달에 간 적이 있는지 알지 못한다; 언젠가 거기에 간 적이 있는지 기억나지 않는다." (왜 이 사람은 우리와 그처럼 근본적으로 다를까?)

무엇보다도 먼저, 그는 자기가 달에 있다는 것을 도대체 어떻게 알까? 그는 그것을 어떻게 상상하는가? 비교해 보라: "나는 내가 일찍이 X 마을에 간 적이 있는지 알지 못한다." 그러나 만일 X가 터키에 있다면, 나는 그런 말도 할 수 없을 것이다. 왜냐하면 나는 내가 결코 터키에 간 적이 없다는 것을 알기 때문이다.

333. 내가 누군가에게 묻는다: "당신은 언젠가 중국에 간 적이 있는가?" 그가 대답한다: "나는 모르겠다." 이때 우리들은 분명 이렇게 말하게 될 것이다: "당신이 그것을 알지 못한다고? 당신은 당신이 아마도 언젠가 거기에 간 적이 있다고 믿을 만한 그 어떤 근거를 갖고 있는가? 예컨대 언젠가 당신은 중국 국경 근처에 간 적이 있는가? 또는, 당신이 태어난 바로 그때 당신 부모가 거기에 있었는가?"—정상적으로는 유럽인들은 자신들이 중국에 간 적이 있는지 없는지를 안다.

334. 즉: 이성적인 사람은 그것에 대해 오직 이러이러한 상황들 속에서만 의심한다.

335. 법정에서의 절차는 상황이 진술에 어떤 개연성을 준다는 점에 의거한다. 예를 들어, 누군가가 부모 없이 세상에 나왔다는 진술은 거기서는 결코 고려되지 않을 것이다.

336. 그러나 사람들에게 무엇이 이성적으로 또는 비이성적으로 보이느냐는 변한다. 다른 시대에는 비이성적으로 보인 것이 어떤 시대에는 이성적으로 보인다. 그리고 그 역도 마찬가지이다.

그러나 여기에 객관적인 표지는 없는가?

매우 명민하고 교양 있는 사람들이 성경의 창조 설화를 믿는데, 다른 사람들은 그 설화를 실증적으로 거짓이라고 여기며, 또 이들의 근거는 저들에게 잘 알려져 있다.

337. 우리들이 의심하지 않는 것들이 상당수 있지 않다면, 우리들은 실험할 수 없다. 그러나 그것은 그 경우 우리들이 어떤 전제들을 완전히 믿고서 받아들인다는 것을 뜻하지는 않는다. 내가 편지를 써서 보낼 때, 나는 그것이 도착할 것—이것이 내가 기대하는 것이다—이라고 가정한다.

내가 실험을 할 때, 나는 내 눈앞에 있는 기구의 존재에 대해 의심하지 않는다. 나는 많은 의심을 지니지만, 그 의심은 지니지 않는다. 내가 계산을 할 때, 나는 종이 위의 숫자들이 저절로 뒤바뀌지 않는다는 것을 의심 없이 믿으며, 또한 나의 기억을 계속해서, 무조건 신뢰한다. 여기에는 내가 결코 달에 간 적이 없다는 것과 동일한 확신이 있다.

338. 그러나 이것들을 결코 전적으로 확신하지는 않지만, 이것들이 사실일 개연성이 대단하며 그것들을 의심하는 것은 유익하지 않다고 우리에게 말할 사람들을 생각해 보라. 만일 그런 사람이 내 입장에 있다면, 그는 이렇게 말할 것이다: "내가 일찍이 달에 간 적이 있다는 것은 극히 개연성이 없다", 기타 등등. 이 사람들의 삶은 우리의 삶과 어떻게 구별될까? 실로, 불 위에 놓여 있는 주전자 속의 물이 얼지 않고 끓는다는 것은 단지 극히 개연성이 있을 뿐이라고, 우리가 불가능하다고 간주하는 것은 그러니까 엄밀히 말하자면 단지 개연성이 없을 뿐이라고 말하는 사람들이 존재한다. 이는 그들의 삶에서 어떤 차이를 만들어 내는가? 그것은 단지, 그들이 어떤 것들에 관해서 다른 사람들보다 뭔가 더 많이 이야기한다는 것뿐이 아닌가?

339. 기차역으로 자신의 친구를 마중 나가야 하는데, 단순히 기차 시간표를 뒤져 보고 어떤 시간에 역으로 나가지 않고, 오히려 이렇게 말하는 사람을 생각해 보라: "나는 기차가 실제로 도착할 것이라고 믿지 않지만, 그럼에도 불구하고 나는 정거장으로 갈 것이다." 그는 보통 사람이 하는 모든 것을 하지만, 그것에다 자기 자신에 대한 의심 또는 불만 따위를 곁들인다.

340. 우리가 그 어떤 수학적 명제를 믿을 때와 동일한 확실성을 갖고서, 우리는 또한 문자 "A"와 "B"가 어떻게 발음되는지, 사람 피의 색깔을 뭐라고 부르는지, 다른 사람들이 피가 있으며 그것을 "피"라고 부른다는 것을 안다.

341. 즉, 우리가 제기하는 물음들과 우리의 의심들은, 어떤 명제들이 의심으로부터 제외되어 있으며 말하자면 그 물음들과 의심들의 지도리[樞軸]라는 점에 의거하고 있다.

342. 즉, 어떤 것들이 실제로 의심받지 않는다는 것은 우리의 과학적 탐구의 논리에 속한다.

343. 그러나 그 때문에 우리가 그야말로 모든 것을 탐구할 수는 없고 따라서 어쩔 수 없이 그 가정에 만족한 채로 있어야 하는 것은 아니다. 만일 내가 문들이 돌아가기를 원한다면, 지도리들은 고정되어 있어야 한다.

344. 나의 삶은 내가 상당수의 것을 달갑게 받아들인다는 데 있다.

345. 만일 내가, 요컨대 지금 거기에 어떤 색깔이 있는지를 알기 위해서, "당신은 지금 어떤 색깔을 보는가?" 하고 묻는다면, 나는 내가 말을 건 그

사람이 국어를 이해하는지, 그가 나를 속이고자 하는지, 색깔 이름들의 의미에 관한 나 자신의 기억이 잘못되지나 않았는지 하는 등등을 동시에 의심할 수 없다.

346. 만일 내가 장기에서 어떤 사람을 외통수로 몰려고 한다면, 나는 장기의 말들이 혹시 저절로 그 자리들을 바꾸지나 않는지, 그리고 동시에 내가 그걸 알아차리지 못하도록 나의 기억이 장난을 치지나 않는지 하고 의심할 수 없다.

1951년 3월 15일
347. "나는 저것이 나무라는 것을 안다." 어째서 나는 내가 그 문장을 이해하지 못했다는 생각이 드는가? 그것은 극히 단순한 통상적 종류의 문장인데도 불구하고? 마치 나는 나의 정신을 그 어떤 의미에도 초점 맞출 수 없을 듯하다. 왜냐하면 요컨대 나는 의미가 있는 영역에서 초점을 맞추려고 애쓰지 않기 때문이다. 내가 그 문장의 철학적 적용에서 벗어나 일상적 적용을 생각하자마자, 그 뜻은 명료해지고 통상적으로 된다.

348. 이는 다음과 같다. 즉, "나는 여기에 있다"라는 말은 단지 어떤 맥락들에서만 뜻이 있고, 내 앞에 마주 앉아서 나를 빤히 보고 있는 사람에게 내가 그 말을 한다면 뜻이 없다,—더구나 그 말이 그 경우에 쓸데없기 때문이 아니라, 그 뜻이 상황에 의해서 확정될 필요가 있지만 그렇게 확정되어 있지 않기 때문이다.

349. "나는 그것이 나무라는 것을 안다"—이것은 온갖 가능한 것을 의미할 수 있다: 내가 한 식물을 바라보는데, 그것을 나는 어린 너도밤나무로, 다른

사람은 까치밥나무로 여긴다. 그 사람은 "그것은 관목이다"라고 말하고, 나는 그것이 나무라고 말한다.—우리가 안개 속에서 무엇인가를 보는데, 우리 중 한 사람은 그것을 사람이라 여기고, 다른 사람은 "나는 그것이 나무라는 것을 안다"라고 말한다. 누군가가 나의 눈을 시험해 보려고 한다.—기타 등등. 내가 나무라고 말하는 '그것'은 그때마다 다른 종류이다.

그러나 만일 우리가 자신을 좀 더 정확히 표현하려 한다면 어떻게 될까? 예를 들어: "나는 저기 그것이 나무라는 것을 안다. 나는 그것을 매우 분명하게 본다."—심지어 내가 이 말을 대화의 맥락에서 했다고 (그러니까 이 말은 그때 적절했다고) 가정해 보자; 그런데 이제 모든 맥락에서 벗어나, 내가 그 나무를 바라보면서 그 말을 되풀이하고, "이 말로 내가 뜻하는 것은 5분 전과 같다"라고 덧붙인다.—내가, 예를 들어, 나는 다시 나의 나쁜 눈을 생각하였고, 그것은 일종의 한숨이었다고 덧붙여 말한다면, 그 발언에 수수께끼 같은 것은 아무것도 없을 것이다.

문장이 어떻게 뜻해져 있느냐는 실로 문장의 보충을 통해서 표현될 수 있으며, 말하자면 문장과 합일될 수 있다.

350. 가령 한 철학자가, 수학적이거나 논리적인 진리가 아닌 어떤 것을 자기가 안다는 것을 자기 자신에게 또는 다른 사람에게 똑똑히 보여 주기 위해서, "나는 그것이 나무라는 것을 안다"라고 말한다. 비슷하게, 자기가 더는 아무짝에도 쓸모가 없다는 생각을 품은 어떤 사람은 "나는 여전히 이것과 이것과 이것을 할 수 있다"라고 되풀이해서 말할 수 있을 것이다. 이런 생각들이 더욱 자주 그의 머릿속을 맴돌면, 우리들은 그가 외관상 모든 맥락에서 벗어나서 그러한 문장을 뇌까리더라도 놀라지 않을 것이다. (그러나 여기서 나는 이미 이 발언들을 위한 배경을, 환경을 적어 넣었고, 그러니까 그것들에다 어떤 맥락을 제공하였다.) 그와 반대로, 만일 어떤 사람이 전혀 이질적인 상

황에서 대단히 그럴듯한 흉내를 내면서 "그를 타도하자!"라고 외친다면, 우리들은 이 말(그리고 그 어조)에 대해서, 그것은 물론 잘 알려진 적용들이 있는 소리이기는 하지만, 문제의 그 사람이 무슨 언어를 말하고 있는지는 여기서 전혀 분명하지 않다고 말할 수 있을 것이다. 나는 손에 작은 톱을 쥐고 널빤지를 자를 때 취해야 할 동작을 내 손으로 해 보일 수 있을 것이다. 그러나 모든 맥락에서 벗어나서 이 동작을 톱질이라고 부를 수 있는 권리가 우리들에게 있을까? (그것은 실로 전혀 다른 어떤 것일 수도 있을 것이다!)

351. "이 말은 뜻이 있는가?"라는 물음은 이를테면 우리들이 어떤 망치를 내보이면서 "이것은 도구인가?"라고 하는 물음과 비슷하지 않은가? 나는 "그렇다, 그것은 망치다"라고 말한다. 그러나 우리 모두가 망치로 여긴 것이 다른 곳에서는 예컨대 미사일이거나 지휘봉이라면 어떻게 될까? 이제 당신 스스로 적용해 보라!

352. 이제 누군가가 "나는 그것이 나무라는 것을 안다"라고 말한다면, 나는 이렇게 대답할 수 있다: "그렇다, 그것은 하나의 문장이다. 국어의 한 문장. 그런데 그걸로 뭘 어쩌란 말인가?" 그런데 그가 이렇게 대답한다면 어떻게 되는가? "나는 내가 그런 어떤 것을 안다는 것을 기억해 내고자 하였을 뿐이다." ——

353. 그러나 만일 그가 "나는 논리적인 소견을 피력하고자 한다"라고 말한다면 어떻게 될까?——산림관이 자신의 일꾼들과 더불어 숲 속으로 가서 "이 나무는 베어야 한다. 그리고 이것과 이것도."라고 말할 때—그가 거기서 "나는 그것이 나무라는 것을 안다"라고 소견을 피력한다면 어떻게 되는가? —그러나 나는 산림관에 대해서 "그는 그것이 나무라는 것을 안다. 그는 그

것을 탐구하지 않으며, 그의 일꾼들에게 그것을 탐구하라고 명령하지 않는다."라고 말할 수 있지 않을까?

354. 의심하는 행동과 의심하지 않는 행동. 첫 번째 것은 오직 두 번째 것이 존재할 때만 존재한다.

355. 가령 정신과 의사가 나에게 "당신은 그것이 무엇인지 아는가?"라고 묻고, 나는 "나는 그것이 의자라는 것을 안다. 나는 그것을 익히 알고 있다, 그것은 언제나 내 방에 있다."라고 대답할 수 있을 것이다. 그가 여기서 검사하는 것은 아마도 나의 눈이 아니라, 사물들을 재인식하고 그것들의 이름과 그것의 기능을 아는 나의 능력이다. 여기서 중요한 것은 사정에 정통함이다. 그런데 내가 "나는 그것이 의자라고 믿는다"라고 말하는 것은 잘못일 것이다. 왜냐하면 그것은 그 진술을 검사해 보려는 준비 자세를 표현할 터이기 때문이다. 한편, "나는 그것이 ……이라는 것을 안다"는, 확증이 되지 않는다면 당혹스러움이 발생하리라는 것을 함축한다.

356. 나의 "정신 상태", 그 "앎"[50]은 무엇이 일어날지를 나에게 잘 보증해 주지 않는다. 그러나 나의 "정신 상태"는, 어디에서 의심이 생겨날 수 있을지, 어디에서 재검사가 가능할지를 내가 이해하지 못하리라는 데 있다.

---

50 (옮긴이주) 앞(§308)에서 '정신 상태'와 범주적으로 구별된다고 한 '앎'이 여기서 '정신 상태'와 동격으로 놓인 것은 뭔가 어긋나 보이지만, 여기서 이 '앎'은 앞 절에서 정신과 의사가 검사하려는 나의 인지 상태나 능력('사정에 정통함')과 관련하여 특수하게 말해진 것으로 이해해야 할 것이다. 비트겐슈타인이 관심가지는 '앎'은 정신의 과정들이나 상태들이 아니긴 하지만(§230), 앎이나 믿음 또는 확신함의 '정신적 상태'에 관해 이야기하는 것이 가능은 하다(§42). 이 가능한 용법의 예로는 이곳 말고도 뒤의 §§588-590 참조.

357. 우리들은 이렇게 말할 수 있을 것이다: "'나는 안다'는 아직 논쟁 중인 확신이 아니라, 진정된 확신을 표현한다."

358. 나는 이제 이 확신을 성급함이나 피상성에 가까운 어떤 것으로 보기보다는 (하나의) 삶의 형태로 보았으면 한다. (이는 매우 조악하게 표현되어 있으며, 또 아마도 조악한 생각이기도 하다.)

359. 그렇지만 이는 내가 그것을 정당화된다 안 된다를 넘어서 있는 어떤 것으로서, 그러니까 말하자면 동물적인 어떤 것으로서 파악하고자 한다는 것을 뜻한다.

360. 나는 이것이 내 발이라는 것을 안다. 나는 어떠한 경험도 그 반대를 증명하는 것으로서 승인할 수 없을 것이다.—그것은 하나의 외침일 수 있다. 그러나 그로부터 무엇이 따라나오는가? 어쨌든, 내가 나의 믿음에 따라, 의심을 모르는 확신을 갖고 행위할 것이라는 것.

361. 그러나 나는 또한 이렇게도 말할 수 있을 것이다: 그것이 그렇다는 것은 신에 의해 나에게 계시되었다. 그것이 나의 발이라는 것을 신이 나에게 가르쳐 주었다. 그러니까 이 인식과 상충하는 것으로 보이는 어떤 것이 발생한다면, 나는 그것을 사기로 간주해야 할 것이다.

362. 그러나 앎은 결단과 근친 관계에 있다는 것이 여기서 드러나지 않는가?

363. 그리고 여기서, 우리들이 외쳤으면 하는 것으로부터 행위 방식상의 결

과들로의 이행(移行)을 발견하는 것은 어렵다.

364. 우리들은 또한 이렇게도 물을 수 있을 것이다: "그것이 당신 발이라는 것을 당신이 안다면, —그때 당신은 미래의 어떠한 경험도 당신의 앎과 모순되는 것처럼 보이지 않을 것이라는 것을 (즉, 당신 자신에게는 그것이 그렇게 보이지 않을 것이라는 것을) 또한 아는가? 또는 단지 믿는가?"

365. 그런데 만일 어떤 사람이 "나는 나에게 어떤 것이 저 인식과 모순되는 것처럼은 결코 보이지 않을 것임을 또한 안다"라고 대답했다면, —그로부터 우리는 그 사람 자신은 그런 일이 결코 일어나지 않으리라는 것을 의심하지 않았다는 것 이외에 무엇을 끌어낼 수 있는가?

366. "나는 안다"라고 말하는 것이 금지되고, 단지 "나는 안다고 믿는다"라고 말하는 것만이 허용된다면 어떻게 될까?

367. "안다"와 같은 말을 "믿다"와 유사하게 구성하는 목적은, 그러면 "나는 안다"라고 말하는 사람이 오류를 범했을 때 그 진술에는 오명(汚名)이 따라붙는다는 것이 아닐까?

그 때문에 오류는 허용될 수 없는 어떤 것이 된다.

368. 어떤 사람이 자기는 어떠한 경험도 그 반대를 증명하는 것으로서 승인하지 않을 것이라고 말한다면, 그것은 어쨌든 하나의 결단이다. 그가 그것을 위반하게 되는 일이 가능하다.

1951년 3월 16일

369. 만일 내가 이것이 내 손이라는 것을 의심하고자 한다면, 그때 나는 "손"이라는 낱말이 그 어떤 의미를 지닌다는 것을 어떻게 의심하지 않을 수 있을까? 그러니까 어쨌든 나는 그것을 아는 것처럼 보인다.

370. 그러나 더 옳게는: 내가 "손"이란 낱말 및 나의 문장의 나머지 모든 낱말들을 주저 없이 쓴다는 것, 심지어 그 의미들을 내가 의심하려고 단지 시도만이라도 하려 해도 곧 무(無)와 마주치게 되리라는 것,—이는 의심 없음이 언어놀이의 본질에 속한다는 것, "어떻게 내가 …… 아는가?"라는 물음이 언어놀이를 지연시키거나 폐기한다는 것을 보여 준다.

371. 무어의 뜻으로 "나는 이것이 손이라는 것을 안다"는 다음과 같거나 또는 비슷한 어떤 것을 뜻하지 않을까: 나는 "나는 이 손에 고통이 있다"나 "이 손은 다른 손보다 약하다"나 "나는 언젠가 나의 이 손을 부러뜨린 적이 있다"와 같은 진술들 및 수많은 다른 진술들을 이 손의 존재에 대한 의심이 일어나지 않는 언어놀이들에서 쓸 수 있다.

372. 오직 어떤 경우들에만, "이것이 실제로 손인가?"(또는 "나의 손인가") 라는 탐구가 가능하다. 왜냐하면 "나는 이것이 실제로 나의 (또는 하나의) 손인지 의심한다"란 문장은 더 자세한 규정 없이는 아직 아무런 뜻도 없기 때문이다. 이 말만으로는, 도대체 의심이 뜻해져 있는지, 그리고 어떤 종류의 의심이 뜻해져 있는지, 아직 알아볼 수 없다.

373. 확신한다는 것이 가능하지 않다면, 믿음에 대한 근거를 갖는다는 것은 왜 가능해야 하는가?

374. 우리는 어린아이에게 "그것은 너의 손이다"라고 가르치지, "그것은 아마 (또는 "개연적으로") 너의 손이다"라고 가르치지 않는다. 그렇게 해서 어린아이는 자기의 손을 다루는 수많은 언어놀이들을 배운다. '이것이 실제로 손인지' 하는 탐구 또는 물음은 그에게 전혀 일어나지 않는다. 다른 한편으로, 그는 이것이 손이라는 것을 자기가 안다는 것도 역시 배우지 않는다.

375. 여기서 우리들은, 어떤 지점에서—심지어 '정당한' 의심이 존재할 수 있다고 말해질 곳에서—완전히 의심 없음이 언어놀이를 반드시 잘못되게 만들지는 않는다는 것을 통찰해야 한다. 제2의 산수와 같은 그런 어떤 것도 실로 존재한다.[51]

이러한 시인(是認)이, 내가 믿기에는, 모든 논리 이해의 근저에 놓여 있지 않으면 안 된다.

3월 17일

376. 나는 (예컨대) 그것이 나의 발이라는 것을 내가 안다고 열정적으로 밝힐 수 있다.

377. 그렇지만 이러한 열정은 (매우) 드문 어떤 것이다. 그리고 내가 이 발에 관해 통상적으로 이야기할 때, 그러한 열정의 흔적은 없다.

---

51 (옮긴이주) 우리의 언어놀이 문법과 다른 문법을 지닌 언어놀이, 그러니까 우리에게 문법인 것이 문법이 되지 않거나, 우리에게 문법이 아닌 것이 문법이 되는 언어놀이도 가능하다. 우리에게 당연한 것으로서의 문법은 일종의 논리나 산수와 같은 것으로 작용하며, 다른 종류의 문법은 제2의 논리 또는 산수와 같은 것으로서 가능하다는 것이다. 비트겐슈타인은 《수학의 기초에 관한 강의》나 《쪽지》 같은 다른 곳에서 우리가 이해 또는 학습할 수 없을 정도로 우리의 것과 다른 논리나 수학, 혹은 언어놀이의 가능성에 관해 더 자세히 다룬 바가 있다.

378. 앎은 결국 승인에 근거한다.

379. "나는 그것이 발이라는 것을 안다"라고 내가 열정적으로 말한다.—그러나 그것은 무엇을 의미하는가?

380. 나는 이렇게 계속할 수 있을 것이다: "세상 어떤 것도 나에게 그 반대를 납득시키지 못할 것이다!" 나에게 있어서 그 사실은 모든 인식의 근저에 있다. 나는 다른 것은 포기할 것이지만, 그것은 포기하지 않을 것이다.

381. 이 "세상 어떤 것도 ……"는 명백히, 우리들이 믿거나 확신하는 모든 것에 대해 우리들이 지니지는 않는 입장이다.

382. 이는 실제로 세상 어떤 것도 나에게 다른 것을 납득시킬 수 없다는 말은 아니다.

383. "아마 나는 꿈을 꾸고 있는지도 모른다"라고 하는 논증은, 그렇다면 바로 이 발언도 역시 꿈이기 때문에, 이 말이 의미가 있다고 하는 그것도 실로 꿈이기 때문에, 뜻이 없다.[52]

384. 그런데 "세상 어떤 것도 ……"는 어떤 종류의 명제인가?

385. 그것은 예언의 형식을 지니고 있지만, 경험에 의거하고 있는 것은 (물론) 아니다.

---

52 (옮긴이주) 비트겐슈타인의 《쪽지》 §§396-397 참조.

386. 자기는 ……임을 안다고 무어처럼 말하는 사람은—어떤 것이 자신에 대해 지니는 확실성의 정도를 진술한다. 그리고 이 정도에 대해서 어떤 최대 한도가 존재한다는 것은 중요하다.

387. 사람들은 나에게 이렇게 물을 수 있을 것이다: "저기 그것이 나무라는 것, 당신이 주머니 속에 돈을 갖고 있다는 것, 그것이 당신의 발이라는 것을 당신은 얼마나 확신하는가?" 그리고 그 대답은, 한 경우에는 "확실하지 않다", 다른 경우에는 "확실한 거나 다름없다", 또 제3의 경우에는 "나는 의심할 수 없다"일 수 있을 것이다. 그리고 이 대답들은 아무런 근거 없이도 뜻이 있을 것이다. 예컨대 나는 이렇게 말할 필요가 없을 것이다 : "내 눈이 충분히 좋지 않기 때문에, 나는 그것이 나무인지 확신할 수 없다." 나는 이렇게 말하고 싶다: "나는 그것이 나무라는 것을 안다"라고 무어가 말하는 것은, 그로써 그가 전적으로 특정한 어떤 것을 말하고자 했다면 뜻이 있었다.

〔나는 나의 노트들을 읽는 것이 어떤 철학자에게는, 스스로 생각할 수 있는 사람에게는, 흥미 있을 수 있으리라고 믿는다. 왜냐하면 내가 비록 과녁의 중심을 단지 드물게 맞혔다고 하더라도, 그는 어쨌든 내가 어떠한 목표들을 향해서 끊임없이 쏘아 댔는지를 인식할 것이기 때문이다.〕

388. 우리는 모두 그러한 문장을 종종 쓰고 있으며, 그것이 뜻이 있는지는 문제가 되지 않는다. 그러나 그것으로 철학적 해명도 주어질 수 있는가? 그것이 손이라는 것을 내가 안다는 것이, 그것이 금 또는 놋쇠인지를 내가 모른다는 것보다도 외적 사물들의 존재를 더 증명하는 것인가?

3월 18일

389. 무어는 우리들이 물리적 대상들에 관한 명제들을 실제로 알 수 있다는 것을 보여 주는 예를 제시하고자 하였다. 만일 신체의 이러이러한 특정한 곳에 고통이 있을 수 있는지가 논쟁이 된다면, 바로 그곳이 고통스러운 어떤 사람은 이렇게 말할 수 있을 것이다: "당신에게 단언하거니와, 나는 지금 거기에 고통이 있다." 그러나 만일 무어가 이렇게 말했다면 이상하게 들릴 것이다: "당신에게 단언하거니와, 나는 그것이 나무라는 것을 안다." 여기서 개인적 체험은 우리의 관심사가 아니다.

390. 중요한 것은 단지, 우리들이 그런 어떤 것을 안다고 말하는 것이 뜻이 있다는 것뿐이다; 그리고 따라서 우리들이 그것을 안다고 하는 단언은 여기서 아무것도 달성할 수 없다.

391. "내가 당신을 부르면, 문으로 들어오라"라고 하는 언어놀이를 생각해 보라. 거기에 실제로 문이 있는가 하는 의심은 어떠한 통상적인 경우에도 불가능할 것이다.

392. 내가 보여 주어야 하는 것은, 어떤 의심이 비록 가능하기는 하지만 필연적이지는 않다는 것이다. 언어놀이의 가능성은 의심될 수 있는 것이 모두 의심된다는 것에 달려 있지않다.(이는 수학에서 모순의 역할과 연관이 있다.)[53]

---

53 (옮긴이주) 모순으로부터 임의의 명제가 참인 것으로 도출될 수 있다. 이는 논리나 수학 체계의 붕괴를 의미하는 것으로 간주되므로, 일반적으로 논리나 수학 체계는 모순을 포함해서는 안 된다고 이야기된다. 그러나 비트겐슈타인은 우리가 모순으로부터 그렇게 아무것이나 도출하지 않는다면 모순이라는 존재 자체는 별문제 되지 않을 수 있다고 본다. 즉 모순으로부터 임의의 명제들을 도출하는 것이 비록 가능하긴 하지만, 그러한 도출이 필연적이지는 않다는 것이다. 그리고 이는 어떤 의심이 비록 가능하기는 하지만 그렇게 의심하는 것이 필연적이지는 않은 것과 마찬가지라는 것이다.

393. "나는 그것이 나무라는 것을 안다"라는 문장은, 그것의 언어놀이 밖에서 말해진다면, (가령 국어 문법책으로부터의) 인용문일 수도 있다.—"그러나 이제 내가 그것을 말하는 동안 그것을 뜻한다면?" '뜻한다'란 개념에 관한 오래된 오해.

394. "이것은 내가 의심할 수 없는 것들에 속한다."

395. "나는 그 모든 것을 안다." 그것은 내가 어떻게 행위하고 어떻게 사물들에 관해 말하느냐 하는 데서 드러날 것이다.

396. 언어놀이 (2)[54]에서, 그는 그것이 벽돌들이라는 것을 자기가 안다고 말할 수 있는가?—"아니다, 그러나 그는 그것을 안다."

397. 내가 오류를 범하였고 무어가 완전히 옳지 않은가? 나는 우리들이 생각하는 것과 우리들이 아는 것을 혼동하는 초보적인 실수를 저지르지 않았는가? 물론 나는 "지구가 내가 태어나기 전에 이미 얼마 동안 존재했다"라고 생각하지는 않지만, 그러나 그렇다고 해서 내가 그것을 알지 못하는가? 내가 항상 그것에서 귀결들을 끌어내면서, 나는 내가 그것을 안다는 것을 보여 주지 않는가?[55]

---

54 (옮긴이주) 《철학적 탐구》 §2에 나오는 '원초적 언어'를 가리킨다. 그 책 §1에서 비트겐슈타인은 "언어의 낱말들은 대상들을 명명하며, 문장들은 그러한 명칭들의 결합들"이라는 아우구스티누스의 생각을 인간 언어의 본질에 대한 하나의 특정한 그림으로서 든다. 그리고 §2에서 "아우구스티누스가 기술한 바에 어울리는 어떤 한 언어"("완전한 원초적 언어")의 예로서, 어떤 건축가 A와 조수 B가 건물을 지으면서 서로의 의사소통의 수단으로 "벽돌", "기둥", "석판", "들보"란 낱말들을 해당 건축 석재들과 관련하여 사용하는 것을 든다.

55 (옮긴이주) 뒤의 §480 참조.

398. 나는 또한, 비록 내가 그것에 대해 생각해 본 적은 아직 전혀 없지만, 이 집에는 지하 6층 깊이의 계단이 있지 않다는 것도 알지 않는가?

399. 그러나 내가 그로부터 귀결들을 끌어낸다는 것은, 내가 이 가설을 받아들인다는 것을 보여 줄 뿐 아닌가?

3월 19일

400. 나는 여기서 풍차들과 싸우는 경향이 있다. 왜냐하면 나는 내가 원래 말하고자 하는 것을 아직도 말할 수 없기 때문이다.

401. 나는 이렇게 말하고자 한다: 단지 논리의 명제들만이 아니라 경험 명제의 형식으로 된 명제들이, 사고를(언어를) 다루는 모든 작업의 근본 토대에 속한다.—이 확언은 "나는 …… 안다"라는 형식으로 되어 있지 않다. "나는 …… 안다"는 내가 아는 것이 무엇인가를 진술하는데, 그것은 논리적 관심사가 아니다.

402. 이 소견에서 이미 "경험 명제의 형식으로 된 명제들"이란 표현은 아주 조악하다; 중요한 것은 대상들에 관한 진술들이다. 그리고 그것들이 근본 토대들로서 이바지하는 방식은, 거짓으로 실증되면 다른 것들로 대체되는 가설들과 다르다.[56]

(…… 그리고 자신 있게 쓴다.
"태초에 행위가 있었다."[57])

---

56 (옮긴이주) §446 참조.

57 (옮긴이주) 괴테, 《파우스트》 I부 '서재에서'의 한 대목. 비트겐슈타인이 여기서 이 말을 인용한 뜻은, 우

403. 사람에 대해서, 무어의 뜻으로, 그가 어떤 것을 안다, 그가 말하는 것은 그러니까 무조건 진리다, 이렇게 말하는 것은 나에겐 잘못으로 보인다.—그것은 그의 언어놀이들의 흔들리지 않는 기초인 한에서만 진리이다.

404. 나는 이렇게 말하고자 한다: 사람이 어떤 지점들에서 완전히 확실하게 진리를 안다는 것은 사실이 아니다. 오히려, 완전한 확실함은 단지 그의 입장과 관계되어 있을 뿐이다.

405. 그러나 물론 여기에도 잘못은 여전히 있다.

406. 내가 목표로 하는 것은, "나는 그것이 ……이라는 것을 안다"라는 확언이 통상적인 삶에서 무심코 쓰일 때와 철학자가 이런 발언을 할 때를 구별하는 데 있기도 하다.

407. 왜냐하면 무어가 "나는 그것이 ……이라는 것을 안다"라고 말할 때, 나는 "당신은 전혀 아무것도 아는 것이 없다"라고 대답했으면 싶기 때문이다. 그렇지만 철학적인 의도 없이 그렇게 말하는 사람에게는 나는 그렇게 대답하지 않을 것이다. 즉, 나는 이 둘이 서로 다른 것을 말하고자 하는 것이라고 (올바르게?) 느낀다.

408. 왜냐하면 어떤 사람이, 자기는 이러이러한 것을 안다, 그리고 그것은

리의 언어와 사고에 근본적인 기초가 되는 것들도 어떤 언어적 형식의 것이라기보다는 행위적 차원의 원초적 반응들에 있다는 것이다. 《문화와 가치》 MS 119 146: 1937.10.21의 다음 소견 참조: "언어놀이의 원천과 원초적 형식은 어떤 하나의 반응이다; 이것에 기초하여 비로소 더 복잡한 형식들이 자라날 수 있다. 언어는 ― 나는 이렇게 말하고 싶은데 ― 세련(洗練)된 것이다, '태초에 행위가 있었다.'"

자신의 철학에 속한다고 말한다면,—그가 저 전자의 진술에서 잘못을 저질렀을 때 그의 철학은 거짓이기 때문이다.

409. "나는 그것이 발이라는 것을 안다"라고 말할 때,—실제로 나는 무엇을 말하는가? 내가 그 귀결들을 확신한다는 것, 만일 다른 사람이 의심했더라면 나는 그에게 "거봐요, 맞지. 내 당신에게 그렇게 말했잖아요."라고 말할 수 있을 것이라는 것이 그 요점의 전부가 아닌가? 만일 나의 앎이 행위의 지침으로서 제대로 작동하지 않는다면, 그것이 여전히 어떤 가치가 있을까? 그리고 그것이 제대로 작동하지 않을 수는 없는가?

3월 20일
410. 우리의 앎은 하나의 커다란 체계를 형성한다. 그리고 오직 이 체계 내에서만, 개별적인 것은 우리가 그것에 부여하는 가치를 지닌다.

411. 만일 내가 "우리는 지구가 이미 오랜 세월 동안 존재해 왔다고 가정한다"라고 (또는 그와 같은 것을) 말한다면, 그런 어떤 것을 우리가 가정해야 할 것이라는 것은 물론 기묘하게 들린다. 그러나 우리 언어놀이의 전 체계 내에서 그것은 근본 토대에 속한다. 그 가정은 행위의 기초를, 그리고 그러니까 당연히 사고의 기초도 형성한다고 말할 수 있다.

412. "나는 그것이 내 손이라는 것을 안다"라고 말할 수 있는 경우(이런 경우들은 실로 드물다)를 상상할 수 없는 사람은 이 말이 헛소리라고 말할 수 있을 것이다. 그는 물론 이렇게도 말할 수 있을 것이다: "물론 나는 그것을 안다; 어떻게 내가 그것을 모를 수가 있을까?"—그러나 그때 그는 아마 "그것은 나의 손이다"라는 문장을 "나의 손"이란 말의 설명으로 이해할 것이다.

413. 왜냐하면 당신이 어떤 맹인의 손을 잡아 당겨 그 손으로 당신 손을 쓰다듬으면서, "이것은 나의 손이다"라고 말한다고 가정해 보라. 그런데 만일 그가 당신에게, "확실한가?"라거나 "당신은 그걸 아는가?"라고 묻는다면, 그것은 오직 매우 특별한 상황에서만 뜻을 지닐 것이다.

414. 그러나 다른 한편으로: 그것이 나의 손이라는 것을 나는 어떻게 해서 아는가? 더구나, 그것이 나의 손이라고 말하는 것이 무엇을 의미하는지를 나는 여기서도 정확히 아는가?—"나는 그것을 어떻게 해서 아는가?"라고 내가 말할 때, 나는 내가 그것에 대해 최소로나마 의심한다는 것을 뜻하지 않는다. 그것은 여기서 나의 전체 행위의 한 기초이다. 그러나 내가 보기에 그것은 "나는 …… 안다"라는 말로 잘못 표현되어 있다.

415. 그렇다, 특출한 철학적 낱말로서 "앎"이란 낱말의 쓰임은 도대체 전적으로 잘못되어 있지 않은가? "안다"가 이런 성벽(性癖)을 지니고 있다면, "확신한다"는 왜 안 그렇겠는가? 명백히, 그것은 너무 주관적이기 때문일 것이다. 그러나 "안다"도 똑같이 주관적이지 않은가? 우리들은 단지 "나는 p를 안다"로부터 "p"가 따라 나온다고 하는 문법적 특성으로 인해 미혹되어 있는 것이 아닌가?

"나는 그것을 안다고 믿는다"가 더 낮은 정도의 확실성을 표현해야 하는 것은 아닐 것이다.—그렇다, 그러나 우리들이 표현하고자 하는 것은 주관적 확신이 아니며, 가장 큰 확신도 아니다. 오히려, 어떤 명제들이 모든 물음과 모든 사고의 근저에 놓여 있는 것처럼 보인다는 것, 이것이다.

416. 그런데 그와 같은 명제는 예컨대, 내가 이 방에서 수주 동안 살아 왔다는 것, 내 기억이 그 점에서 잘못되지는 않았다는 것인가?

—"모든 이성적인 의심을 넘어서 확실한"[58]—

3월 21일

417. "나는 내가 지난달에 매일 목욕했다는 것을 안다." 나는 무엇을 상기하고 있는가? 매일과 매 아침의 목욕을? 아니다. 나는 내가 매일 목욕을 했다는 것을 알며, 그것을 나는 다른 직접적인 자료로부터 끌어내지 않는다. 비슷하게, 나는 "나는 팔에 찌르는 듯한 아픔을 느꼈다"라는 말을 내가 이 장소를 다른 방식으로 (가령 어떤 그림으로써) 의식하지 않고도 한다.

418. 나의 이해는 나 자신의 몰이해를 보지 못함일 뿐인가? 나에겐 그것이 종종 그렇게 보인다.[59]

419. 만일 내가 "나는 소아시아에 가본 적이 없다"라고 말한다면, 나에게 이 앎은 어디에서 오는가? 나는 그것을 헤아려 보지 않았으며, 아무도 나에게 그것을 말해 주지 않았다; 나의 기억이 나에게 그것을 말해 준다.—그래서 나는 말하자면 그 점에 있어서 오류를 범할 수 없는가? 여기에 내가 아는 진리가 있는가?—나는 다른 모든 판단들을 허물어뜨리지 않고는 이 판단을 포기할 수 없다.[60]

420. 내가 지금 영국에서 살고 있다는 것과 같은 명제도 이러한 두 가지 면을 지니고 있다. 즉, 그것은 오류가 아니다—그러나 다른 한편으로, 나는 영

58 (옮긴이주) 영어로 적혀 있음: "certain beyond all reasonable doubt".

59 (옮긴이주) 이 소견은 §402나 §§387, 471, 532의 전후에 있는 꺽쇠괄호 속의 말들과 마찬가지로, 자신의 작업이 자신이 원하는 만큼의 명료한 이해에 도달하지 못하고 있다는 느낌의 표현일 수 있다.

60 (옮긴이주) '안다'와 관련하여 이야기될 수 있는 진리와 '언어놀이의 흔들리지 않는 기초'인 한에서의 진리에 대한 §403의 구분 참조.

국에 관해 무엇을 아는가? 내가 내 판단에서 전적으로 잘못을 범하고 있을 수는 없는가?

사람들이 내 방으로 들어와서는 모두가 그 정반대라고 말하고, 더구나 나에게 그것을 '증명'해 주기도 하여, 갑자기 내가 순전히 정상인들만 있는 가운데 홀로 미친 사람처럼, 또는 정신 이상자들 가운데 홀로 정상인처럼 서 있는 일이 가능할 수 없을까? 지금 나에게 가장 의심스럽지 않은 것에 대한 의심이 그때 나에게 생길 수 있지 않을까?

421. 나는 영국에 있다.—내 주위의 모든 것이 나에게 그렇게 말해 준다; 내가 생각을 굴리자마자, 그리고 어디로 생각을 굴려 보더라도, 내 생각들은 나에게 그것을 확증한다.—그러나 만일 내가 지금 꿈도 꿀 수 없는 일들이 일어난다면, 나는 오류를 범하게 될 수 있지 않을까?

422. 그러므로 나는 실용주의처럼 들리는 어떤 것을 말하고자 한다.

여기서 일종의 세계관이 나의 길을 가로막는다.[61]

---

61 (옮긴이주) 우리의 확신이 그에 따른 유용성(쓸모)이나 성공으로 정당화될 수 있다는 점을 인정(《철학적 탐구》 §320, §324 참조)하는 한, 비트겐슈타인의 말에는 실용주의 비슷하게 들리는 면이 있다고 할 수 있을 것이다. 그러나 그는 유용한 문장이 참이라고 보지 않는다(《심리학의 철학에 관한 소견들 I》 §266). 그리고 우리의 삶에는, 예컨대 순전히 상징적 기능을 하는 제의(祭儀)와 같이, 유용성이나 성공과는 무관하게 근본적인 의미를 지니고 존재한다고 할 수 있는 것들이 있다(《소품집》 "프레이저의 《황금 가지》에 관한 소견들" 참조). 비슷하게, 여기 무어의 명제들에서 '나는 안다'라는 말로 (잘못) 언급된 것들은 실용주의적 의미의 쓸모와 무관하게 암암리에 우리의 세계상을 형성하고 있다. 그것들은 비록 잘못될 수 있지만, 그 잘못됨의 성격은 일종의 정신착란과 같은 것이지, 이성적 근거에서 보일 수 있는 '오류'와 같은 것이 아니다. 그러므로 가장 확고하게 보유된 믿음들조차도 성공의 관점에서 오류 가능하며 또 그 때문에 유용성의 관점에서 수정 가능하다는 실용주의적 관점은 옳다고 할 수 없다. 즉, 우리의 세계상을 이루는 무어 명제들의 기초적이고 논리적 성격이 모든 앎과 진리가 오류 가능하고 수정 가능하다고 보는 실용주의의 길을 가로막는다고 할 수 있다. 유용성이나 성공이 우리 실천들의 요점일 수 있지만, 그러한 요점은 오히려 우리의 삶의 형태 내지 세계상에 의존해 결정되지 그 역이 아니라는 것이다.

423. 그럼 왜 나는 무어처럼 단순히 "나는 내가 영국에 있다는 것을 안다"라고 말하지 않는가? 이렇게 말하는 것은 내가 상상할 수 있는 특정한 상황들에서는 뜻을 지닌다. 그러나 이런 상황들이 아닌 곳에서 내가 그 문장을 이런 종류의 진리들이 나에게 확실하게 인식될 수 있다는 점에 대한 예로서 발화한다면, 그것은 즉시 나에게 의심스럽게 된다.—정당하게??

424. 나는 나에게도 진리 p가 알려져 있다는 것을 단언하기 위해, 또는 단순히 주장 p의 강조로서, "나는 p를 안다"라고 말한다. 우리들은 또한 "나는 그것을 믿지 않는다, 나는 그것을 안다"라고도 말한다. 그리고 그것은 (예컨대) 이렇게도 표현될 수 있을 것이다: "그것은 나무다. 그리고 이것은 단순한 추측이 아니다."

그러나 이것은 어떠한가: "만일 내가 누군가에게, 그것이 나무라고 알린다면, 그것은 단순한 추측이 아닐 것이다." 무어가 말하고자 한 것은 이것이 아닌가?

425. 그것은 추측이 아닐 것이며, 나는 그것을 절대적인 확신을 갖고, 의심할 수 없는 어떤 것으로서 다른 사람에게 알릴 수 있을 것이다. 그러나 이것이, 그것은 무조건 진리임을 뜻하는가? 내가 나의 전 생애 동안 여기서 보아온 나무라고 최고로 완전하게 확정적으로 인식하는 것이, 가면을 벗고 다른 어떤 것으로 나타날 수는 없는가? 그것이 나를 당혹스럽게 할 수는 없는가?

그럼에도 불구하고, "나는 그것이 나무라는 것을 안다(나는 단지 추측하는 것이 아니다)"라고 말하는 것은 이 문장에 뜻을 부여하는 상황에서는 옳았다. 나는 사실은 그것을 단지 믿을 뿐이라고 말하는 것은 잘못일 것이다. "나는 내 이름이 루트비히 비트겐슈타인이라고 믿는다"라고 말하는 것은 전적으로 오도된 것일 것이다. 그리고 내가 그 점에 있어서 오류를 범할 수 없다는 것도 또한 옳다. 그러나 이것은 내가 그 점에 있어서 잘못될 수 없다는 것을 뜻하지는 않는다.

1951년 3월 21일

426. 그러나 우리가 감각 자료에 관한 진리들뿐 아니라 사물에 관한 진리들도 안다는 것을 어떻게 어떤 사람에게 보여줄 수 있는가? 왜냐하면 누군가가 우리에게, 자기는 이것을 안다고 단언하는 것은 아무래도 충분할 수 없기 때문이다.

그것을 보여 주기 위해 우리들은 도대체 어디서부터 시작해야 하는가?

3월 22일

427. 우리들이 보여 주어야 하는 것은, 비록 그가 "나는 …… 안다"라는 말을 결코 쓰지 않더라도, 그의 거동은 우리에게 중요한 것을 보여 준다는 점이다.

428. 왜냐하면 정상적으로 행위하는 사람이 만일 우리에게, 자기는 자신의 이름이 이러이러하다고 단지 **믿는다**, 자기는 자신과 계속 동거하는 사람들을 인식한다고 **믿는다**, 자기는 자신이 손발을 똑바로 보지 않을 때도 자신에게 손발이 있다고 믿는다 등등이라고 단언한다면 어떻게 될까? 그게 그렇지가 않다는 것을 우리는 그에게 그의 행위들(그리고 말들)로부터 보여 줄 수 있는가?

1951년 3월 23일

429. 나는 어떤 근거를 갖고 있기에, 내가 내 발가락들을 보지 않는 지금 내 발에 각각 다섯 개의 발가락이 있다고 받아들이는가?

이전의 경험이 나에게 항상 그렇게 가르쳐 왔다는 것이 그 근거라고 말하는 것은 옳은가? 나는 이전의 경험을 나에게 열 개의 발가락이 있다는 것보다 더 확신하는가?

이전의 저 경험은 물론 현재 나의 확신의 원인일지 모른다. 그러나 그것은 내 확신의 근거인가?

430. 나는 한 화성인을 만난다. 그리고 그는 나에게 "인간들에게는 몇 개의 발가락이 있는가?"라고 묻는다.—나는 "열 개. 내가 당신에게 그걸 보여 주지."라고 말하고는 내 구두를 벗는다. 그런데 만일 그가, 내가 내 발가락들을 보지 않았는데도 내가 그걸 이처럼 확실하게 안다는 것에 놀란다면,—그때 나는 다음과 같이 말해야 할까? "발가락을 보든 안 보든, 우리 인간들은 우리에게 발가락이 그만큼 있다는 것을 안다."

1951년 3월 26일

431. "이 방이 2층에 있다는 것, 문 뒤에서 짧은 통로가 계단으로 이어진다는 것 등등을 나는 안다." 내가 이런 발언을 하게 될 경우들이 생각될 수는 있겠지만, 그것은 정말 드문 경우들일 것이다. 그러나 다른 한편으로, 나는 이 앎을 나의 행위들을 통해서, 그리고 또 말을 하는 가운데 날마다 보여 준다.

그런데 다른 사람은 나의 이 행위와 말들로부터 무엇을 추측하는가? 내가 내 일을 확신한다는 것뿐이 아닌가?—내가 여기에 여러 주 동안 기거해 왔으며 날마다 계단을 오르내렸다는 것으로부터, 그는 내가 내 방이 어디에 있는지를 안다고 추측할 것이다.—나는 "나는 …… 안다"라는 단언을, 그가 나의 앎을 어디서부터 무조건 추론해야 할지를 아직 알지 못할 때 쓰게 될 것이다.

432. "나는 …… 안다"라는 발언은 그 밖의 '앎'의 증거와 결합해서만 그 의미를 지닐 수 있다.

433. 그러니까 만일 내가 누군가에게 "나는 그것이 나무라는 것을 안다"라고 말한다면, 그것은 마치 내가 그에게, "그것은 나무이다; 당신은 거기에 절대적으로 의존할 수 있다; 거기엔 아무 의심도 없다"라고 말할 경우와 같다. 그리고 철학자는 그 말을 이런 형식의 말이 실제로 쓰인다는 것을 보여 주기 위해서만 쓸 수 있을 것이다. 그러나 그것이 단지 국어 문법에 대한 하나의 소견에 불과하지 않으려면, 그는 이 표현이 기능을 하는 상황들을 제시해야 한다.

434. 그런데 사람들이 이러이러한 상황에서는 이러이러한 것을 안다는 것을 경험이 우리에게 가르쳐 주는가? 확실히 경험은 우리에게, 통상적으로 사람은 어느 정도 시일이 지난 후에는 자기가 거주하는 집을 훤히 알게 된다는 것을 보여 준다. 또는, 경험은 사람의 판단이 이러이러한 교습 기간 후에는 신뢰될 수 있다는 것을 우리에게 가르쳐 준다. 올바른 예측을 할 수 있으려면, 경험상 그는 이러이러한 기간만큼 오랫동안 배웠어야 한다. 그러나 ———.

3월 27일

435. 우리들은 종종 어떤 낱말에 의해 마술에 걸린다. 예컨대 "안다"라는 낱말에 의해서.

436. 신은 우리의 지식에 의해 구속되는가? 우리의 상당수의 진술들이 거짓일 수 없는가? 왜냐하면 그것이 우리가 말하고자 하는 것이기 때문이다.

437. 나는 이렇게 말하는 경향이 있다: "그것은 거짓일 수 없다." 이것은 흥미롭다. 그러나 그것은 어떤 결과들을 갖는가?

438. 이러이러한 곳에서 무슨 일이 일어나고 있는지 나는 안다고 단언하는 것은—내가 그것을 알 수 있는 입장에 있음을 (다른 사람에게) 납득시켜 주는 근거들을 진술하지 않으면—충분하지 못할 것이다.

439. "나는 이 문 뒤에 하나의 통로와, 1층으로 가는 층계가 있다는 것을 안다"라는 진술도, 내가 그것을 안다고 모두가 받아들이기 때문에, 오직 그 때문에 그렇게 설득력 있게 들린다.

440. 여기에는 일반적인 어떤 것이 있다; 개인적인 어떤 것만이 아니라.

441. 법정에서, "나는 …… 안다"라고 하는 증인의 단순한 단언은 아무도 납득시키지 못할 것이다. 증인이 알 만한 입장에 있었다는 것이 입증되어야 한다.

또한 자신의 손을 바라보며 "나는 이것이 손이라는 것을 안다"라고 하는 단언도, 우리가 그 진술의 상황을 알고 있지 못하면 믿을 만하지 못할 것이다. 그리고 우리가 그 상황을 알고 있다면, 그 진술은 그 화자가 이런 관점에서 정상임을 단언하는 것으로 보인다.

442. 내가 어떤 것을 안다고 공상하는 일은 도대체 있을 수 없는가?[62]

---

62 (옮긴이주) §12, §580 등 참조.

443. 어떤 언어에는 우리의 "안다"에 대응하는 낱말이 없다고 생각해 보라.—그 사람들은 단순히 주장을 말한다. "그것은 나무이다", 등등. 물론 그들이 오류를 범하는 일이 일어날 수 있다. 그래서 이제 그들은 자신들이 어떤 오류를 얼마나 개연성이 있다고 여기는지—(또는 이렇게 말해야 하는가?) 이 경우에 어떤 오류가 얼마나 개연성이 있는지—나타내 주는 기호를 문장에 덧붙인다. 이 후자는 또한 어떤 상황을 진술함으로써도 나타낼 수 있다. 예를 들어, "A는 B에게 ……라고 말했다. 나는 그들 곁에 아주 가까이 서 있었고, 내 귀는 밝다." 또는 "A는 어제 이러이러한 곳에 있었다. 나는 멀리서 그를 보았다. 내 눈은 그리 좋지 않다." 또는 "거기에 나무가 하나 서 있다. 나는 그것을 똑똑히 보고 있으며 또 수없이 보아 왔다."

444. "기차는 2시에 떠난다. 확실히 하기 위해 한 번 더 알아보라." 또는 "기차는 2시에 떠난다. 방금 나는 새 기차 시간표에서 확인해 보았다." 우리들은 또한 "나는 이런 일들에서 신뢰할 만하다"라고도 덧붙일 수 있다. 이렇게 덧붙이는 말들의 유용성은 명백하다.

445. 그러나 내가 "나에게는 두 손이 있다"라고 말한다면,—이 말의 신뢰 가능성을 나타내기 위해 나는 무엇을 덧붙일 수 있는가? 기껏해야, 상황들이 통상적이라는 것.

446. 이것이 나의 손이라는 것을 나는 도대체 왜 그렇게 확신하는가? 언어놀이 전체가 이런 종류의 확신에 의거하고 있지 않은가?

또는: 언어놀이에는 이러한 '확신'이 (이미) 전제되어 있지 않은가? 요컨대, 대상들을 확실하게 인식하지 못하는 자는 그 놀이를 하고 있지 않거나 아니면 잘못하고 있다는 점을 통해서 말이다.

3월 28일

447. 그것과 12×12=144를 비교해 보라. 여기서도 우리는 "아마"라고는 말하지 않는다. 왜냐하면 이 명제가, 우리가 잘못 세었거나 잘못 계산하지 않았다는 것, 계산할 적에 우리의 감각이 우리를 속이지 않는다는 것에 의거하고 있는 한, 그 산수 명제와 물리적 명제 양자는 같은 수준에 있기 때문이다.

나는 이렇게 말하고자 한다: 물리적 놀이는 산수 놀이와 마찬가지로 확실하다. 그러나 그것은 오해될 수 있다. 내 소견은 논리적인 것이지, 심리학적인 것이 아니다.

448. 나는 이렇게 말하고자 한다: 산수 명제들(예컨대 구구표)이 '절대적으로 확실하다'는 것에 대해 우리들이 놀라지 않는다면, "이것은 나의 손이다"라는 명제가 똑같이 그러하다는 것에 대해서는 왜 우리들이 놀라야 할까?

449. 우리에게 어떤 것은 기초로서 가르쳐져야 한다.

450. 나는 이렇게 말하고자 한다: 우리의 배움은 "이것은 제비꽃이다", "이것은 책상이다"라는 형식을 지니고 있다. 물론 어린아이는 "제비꽃"이라는 낱말을 "이것은 아마 제비꽃일 것이다"라는 문장에서 처음 들을 수 있을 것이다. 그러나 그 경우 아이는 "제비꽃이 뭐예요?"라고 물을 수 있을 것이다. 물론 이제 이것은 우리들이 그에게 그림을 보여 줌으로써 대답될 수 있을 것이다. 그러나 만일 우리들이 그림을 보여 줄 적에만 "이것은 ……이다"라고 말하고 그 밖의 경우에는 항상 "이것은 아마 ……일 것이다"라고만 말한다면, 그것은 어떠할까?—그것은 어떤 실천적 결과들을 가질 것인가?

모든 것을 의심하는 의심은 아무런 의심도 아닐 것이다.

451. "그것은 나무이다"라는 고립된 문장의 뜻은 나무라고 진술된 '그것'이 무엇인지 정해져 있지 않기 때문에 불확정적이라고 하는 나의 무어 반박[63]은—유효하지 않다. 왜냐하면 우리들은 예컨대 다음과 같이 말함으로써 그 뜻을 더 확정적으로 만들 수 있기 때문이다: "나무처럼 보이는 저기 저 대상은 나무의 교묘한 모조품이 아니라 실제의 나무이다."

452. 그것이 실제의 나무인지 또는 ……인지 의심하는 것은 이성적이지 않을 것이다.

그것이 나에게 의심의 여지가 없는 것처럼 보인다는 것은 중요하지 않다. 여기서 의심하는 것이 비이성적이라면, 이것은 내가 무엇을 어떻게 여기고 있는가에서 알아볼 수 없다. 그러니까 여기서 그 의심을 비이성적이라고 언명하는 어떤 규칙이 있어야 할 것이다. 그러나 또한 이런 규칙은 존재하지 않는다.

453. 나는 물론 이렇게 말한다: "이성적인 사람은 아무도 여기서 의심하지 않을 것이다."—어떤 의심이 이성적이냐 아니면 비이성적이냐를 박식한 재판관들에게 문의하는 일이 생각될 수 있을까?

454. 의심이 비이성적인 경우들이 있는가 하면, 의심이 논리적으로 불가능해 보이는 다른 경우들도 있다. 그리고 그것들 사이에 분명한 경계선은 없는 것으로 보인다.

3월 29일

455. 모든 언어놀이는 낱말들과 대상들이 재인식된다는 점에 의거하고 있

---

63 (옮긴이주) §347 이하, 특히 §349 참조. 또한 뒤의 §481도 참조.

다. 우리는 이것이 의자라는 것을 2×2=4라는 것과 동일한 엄격성을 갖고 배운다.

456. 그러니까 그것이 (어떤 뜻으로건) 나의 손이라는 것에 대해 내가 의심하거나 또는 불확실해 한다면, 그렇다면 어째서 이 말의 의미에 대해서도 역시 그렇게 하지 않는가?

457. 그러니까 내가 말하고자 하는 것은, 확신이 언어놀이의 본질 속에 놓여 있다는 것인가?

458. 우리들은 특정한 근거에서 의심한다. 문제는 이것이다: 언어놀이에 의심은 어떻게 도입되는가?

459. 만일 상인이 만사를 아주 확실히 하기 위해서, 자기의 모든 사과를 이유 없이 조사하려 한다면, (그렇다면) 그가 그 조사 자체를 조사할 필요는 왜 없는가? 그리고 이제 여기서 우리들은 믿음(추측이 아니라 종교적인 믿음이란 뜻으로)에 관해 말할 수 있는가? 모든 심리학적인 낱말들은 여기서 문제의 요점에서 빗나갈 뿐이다.

460. 내가 의사에게 가서 내 손을 보이고는 말한다: "이것은 손이지, ……이 아니다. 나는 손을 다쳤다. 등등." 나는 거기서 단지 쓸데없는 보고를 하는 것인가? 우리들은 예컨대 이렇게 말할 수 있지 않을까? 즉, "이것은 손이다"란 말이 하나의 보고라고 가정한다면—그 경우 당신은 그가 그 보고를 이해한다는 것을 어떻게 믿을 수 있었는가? 더구나, '이것이 손이라는 것'이 의심의 대상이 된다면, 내가 이것을 의사에게 보고하고 있는 사람이라는 것은

어째서 또한 의심의 대상이 되지 않는가?—그러나 다른 한편으로, 우리들은 그러한 설명이 쓸데없지 않은 경우들을, 또는 단지 쓸데없기는 하나 불합리하지는 않은 경우들을—매우 드물기는 하지만—상상할 수 있다.

461. 내가 의사이고 어떤 환자가 나에게 와서 자신의 손을 보이고는 이렇게 말한다고 가정해 보자: "여기 손처럼 보이는 것은 탁월한 모조품이 아니라 진짜 손이다." 이어서 그는 그것이 다쳤다고 말한다.—나는 이것을 비록 쓸데없긴 하지만 하나의 보고로 간주하게 될까? 나는 오히려, 그것이 물론 보고의 형식은 지니고 있지만 헛소리라고 여기게 되지 않을까? 왜냐하면—나는 이렇게 말할 것이다—만일 이 보고가 실제로 뜻을 지닌다면, 어떻게 그가 자신의 일을 확신할 수 있는가? 그 보고에는 배경이 결여되어 있다.

3월 30일

462. 어째서 무어는 자기가 아는 것들 가운데 예컨대 영국의 이러이러한 지방에는 이러이러한 이름의 마을이 있다는 것을 들지 않는가? 다른 말로 하면, 어째서 그는 우리 **모두에게**가 아니라 그에게 알려져 있는 사실을 언급하지 않는가?

3월 31일

463. "그것은 나무이다"라는 보고는 아무도 그것을 의심할 수 없을 때는 일종의 익살일 수 있으며 또 그런 것으로서 뜻이 있으리라는 것은 어쨌든 확실하다. 실제로 이런 종류의 익살을 언젠가 르낭[64]이 부린 적이 있다.

---

64 (옮긴이주) 르낭(Ernest Renan, 1823~1892): 프랑스의 종교학자, 동양학자, 저술가로서 《예수의 생애》와 《이스라엘 민족사》 등의 저자.

1951년 4월 3일

464. 나의 어려움은 이렇게도 표명될 수 있다: 내가 어떤 친구와 대화하며 앉아 있다. 갑자기 내가 말한다: "나는 네가 아무개라는 것을 이미 언제나 알고 있었다." 이것은 비록 참이긴 하지만 실제로는 단지 쓸데없는 말일 뿐인가?

나에게는 이 말이 마치 우리들이 한창 대화하다가 상대방에게 "안녕하세요" 하고 말하는 것과 비슷해 보인다.

465. "나는 그것이 나무라는 것을 안다"라는 말 대신, "오늘날 우리들은 ……종(種)이 넘는 곤충들이 존재한다는 것을 안다"라는 말은 어떠할까? 어떤 사람이 이 문장을 갑자기 모든 맥락에서 벗어나 발화한다면, 우리들은 그가 그동안 다른 어떤 것을 생각하고 있었고 이제 자신의 사고 과정 속의 어떤 한 명제를 소리 내어 언표하는 거라고 생각할 수 있을 것이다. 또는 이렇게도 생각할 수 있을 것이다. 즉, 그는 최면 상태에 있고 자신의 말을 이해하지 못하면서 말하고 있다고.

466. 그러니까 나에게는 이렇게 보인다. 즉, 나는 어떤 것을 이미 언제나 알고 있었지만, 이것을 말하는 것은, 이 진리를 언표하는 것은, 아무런 뜻도 없다.

467. 나는 어떤 철학자와 함께 정원에 앉아 있다. 그는 우리 근처에 있는 한 나무를 가리키면서 "나는 그것이 나무라는 것을 안다"라고 여러 번 반복해서 말한다. 제3의 인물이 다가와서는 그 말을 듣는다. 그리고 나는 그에게 말한다: "이 사람은 돌지 않았다. 우리는 단지 철학하고 있을 뿐이다."

4월 4일

468. 누군가가 "이것은 나무다" 하고 엉뚱하게 말한다. 그가 그 문장을 말한 것은, 그것을 비슷한 상황에서 들었던 것을 기억하기 때문일 수 있다. 또는 그는 이 나무의 아름다움에 갑자기 맞닥뜨렸고, 그 문장은 하나의 외침이었다. 또는 그는 그 문장을 문법적인 예로서 말해 보았다. (등등.) 내가 이제 그에게 묻는다: "당신은 그 말로 무엇을 뜻하였는가?" 그리고 그가 대답한다: "그것은 당신을 향한 보고였다." 나는 여기서, 그가 나에게 이런 보고를 하고자 할 정도로 완전히 돌았다면, 그는 자기가 무엇을 말하는가를 알지 못하는 거라고 자유롭게 가정할 수 있지 않을까?

469. 대화 중에 누군가가 나에게 앞뒤 맥락도 없이 "당신의 행운을 빕니다" 하고 말한다. 나는 놀란다. 그러나 나중에 나는 이 말이 나에 관한 그의 생각들과 연관되어 있음을 알아차린다. 그리고 이제 그 말은 나에게 더는 뜻이 없어 보이지 않는다.

470. 내 이름이 루트비히 비트겐슈타인인가라는 의심은 왜 없는가? 그것은 우리들이 의심 없이 곧바로 확립할 수 있을 어떤 것으로는 전혀 보이지 않는다. 우리들은 그것이 의심될 수 없는 진리들 중의 하나라고 생각해서는 안 될 것이다.

4월 5일

[여기서 나의 생각에는 여전히 커다란 틈이 있다. 그리고 그것이 더 채워지게 될지 나는 의심스럽다.]

471. 시초를 발견하는 것은 매우 어렵다. 또는 좀 더 잘 표현해 보자면: 시초

에서 시작하는 것은 어렵다. 그리고 더 거슬러 올라가려고 시도하지 않는 것은 어렵다.

472. 어린아이가 언어를 배울 때, 아이는 무엇이 탐구될 수 있으며 무엇이 탐구될 수 없는지도 동시에 배운다. 아이가 방에 장롱이 있다는 것을 배울 때, 우리들은 아이에게 자기가 나중에 보는 것이 여전히 장롱인지 또는 단지 일종의 무대장치일 뿐인지 의심하도록 가르치지 않는다.

473. 마치 우리들이 글씨를 쓸 적에 특정한 근본 형태를 배우고 그다음 이것을 나중에 변화시키듯이, 그렇게 우리들은 우선 사물들의 지속성을 표준으로 배우고, 그다음 그 표준은 변화들을 겪는다.

474. 이 놀이는 제값을 한다는 것이 입증된다. 그것이 그 놀이가 행해지는 원인일지 모른다. 그러나 그것은 근거가 아니다.

475. 나는 여기서 사람들을 동물로 간주하고자 한다; 본능은 지니지만 이성적 추리를 지닌다고는 믿어지지 않는 원시적 존재로. 원시적 상태에 있는 존재로. 왜냐하면 원시적 의사소통 수단을 위해 충분한 어떤 논리이건, 그것을 우리는 부끄러워할 필요가 없기 때문이다. 언어는 이성적 추리에서 나오지 않았다.

4월 6일

476. 어린아이는 책들이 존재한다, 의자들이 존재한다 하는 따위를 배우지 않고, 책을 가져오는 것, 의자에 앉는 것 등등을 배운다.

물론 나중에는 존재에 대한 물음들이 발생한다: "일각수가 존재하는가?"

라고 하는 따위. 그러나 그런 물음은 그런 식의 물음이 일반적으로 등장하지 않기 때문에 가능할 뿐이다. 왜냐하면 일각수의 존재를 어떻게 확인해야 하는지를 우리들은 어떻게 아는가? 어떻게 해서 우리들은 어떤 것이 존재하는지 존재하지 않는지 확정하는 방법을 배웠는가?

477. "따라서 우리들은 지시적 설명을 통해 아이에게 그 이름들을 가르쳐 주는 대상들이 존재한다는 것을 알아야 한다."—그것을 우리들이 왜 알아야 하는가? 나중에 경험에 의해 그 반대가 실증되지 않는 것으로 충분하지 않은가?

언어놀이가 도대체 왜 앎에 기초해야 하는가?

4월 7일

478. 어린아이는 우유가 존재한다고 믿는가? 또는 우유가 존재한다는 것을 아는가? 고양이는 쥐가 존재한다는 것을 아는가?

479. 우리는 물리적 대상들이 존재한다는 인식이 아주 일찍 아니면 아주 늦게 오는 것이라고 말해야 하는가?

4월 8일

480. "나무"라는 낱말을 쓰는 법을 배우는 어린아이. 우리들은 그 아이와 함께 나무 앞에 서서 "아름다운 나무!"라고 말한다. 그 나무의 존재에 대한 의심이 그 언어놀이 안으로 들어가지 않는다는 것은 분명하다. 그러나 우리들은 나무가 존재한다는 것을 그 아이가 안다고 말할 수 있는가? '어떤 것을 안다'가 '그것에 관해 생각한다'를 포함하지 않는다는 것은 물론 참이다—그러나 어떤 것을 아는 자는 의심을 할 수 있어야 하지 않는가? 그리고 의심한다는

것은 생각한다는 것을 뜻한다.

481. "나는 그것이 나무라는 것을 안다"라고 무어가 말하는 것을 들을 때, 우리들은 문득, 그것이 전혀 결정되어 있지 않다고 생각하는 사람들을 이해한다.

어떤 사람에게 문제가 갑자기 불명료하고 막연하게 여겨진다. 무어는 문제를 왜곡되게 만들어 버린 것 같다.

나는 어떤 그림(아마도 무대 배경)을 보았고 그것이 무엇을 나타내는지를 멀리서 곧바로, 그리고 아주 사소한 의심도 없이 인식하는 듯하다. 그러나 이제 나는 가까이 다가간다. 그리고 거기서 나는 형형색색의 수많은 얼룩들을 본다. 그것들은 모두 대단히 다의적이고 전혀 아무런 확실성을 주지 않는다.

482. "나는 안다"는 어떠한 형이상학적 강조도 참지 못하는 것 같다.

483. "나는 안다"란 말의 올바른 사용. 시력이 약한 사람이 나에게 묻는다: "당신은 저기 우리가 보는 것이 나무라고 믿는가?"—나는 대답한다: "나는 그것을 안다; 나는 저 나무를 정확히 보고 있으며 저 나무를 잘 알고 있다." A: "아무개는 집에 있는가?"—나: "나는 그렇다고 믿는다."—A: "그는 어제 집에 있었는가?"—나: "그는 어제 집에 있었다, 나는 그걸 안다, 나는 그와 함께 이야기하였다."—A: "당신은 그 집의 이 부분이 새로 증축되었다는 것을 아는가, 아니면 단지 믿는가?"—나: "나는 그걸 안다; 나는 ……에게 알아보았다."

484. 그러므로 여기서 우리들은 "나는 안다"라고 말하고, 그 앎의 근거를 진

술한다. 또는 어쨌든 그 근거를 진술할 수 있다.

485. 우리들은 또한 어떤 사람이 명제들의 목록을 훑어보면서, "나는 그것을 아는가, 아니면 그것을 단지 믿는가?" 하고 되풀이해서 묻는 경우도 생각할 수 있다. 그는 모든 개별적 명제의 확실함을 재검사하고자 한다. 문제되고 있는 것은 법정에 선 증인의 진술일 수 있을 것이다.

4월 9일

486. "당신 이름이 루트비히 비트겐슈타인이라는 것을 당신은 아는가, 아니면 단지 믿는가?" 이것은 뜻이 있는 물음인가?

당신이 여기 써넣는 것이 우리말이라는 것을 당신은 아는가, 아니면 단지 믿는가? "믿는다"가 이 의미를 지닌다는 것을 당신은 단지 믿는가? 어떤 의미?

487. 내가 어떤 것을 안다는 것에 대한 증명은 무엇인가? 아무튼, 나는 그것을 안다고 내가 말하는 것은 확실히 증명이 아니다.

488. 그러므로 글 쓰는 사람들이 자기들이 아는 모든 것을 열거할 때, 그것은 말하자면 전혀 아무것도 증명하지 않는다.

그러므로 우리들이 물리적인 것들에 관해 어떤 것을 알 수 있다는 것은 그것을 안다고 믿는 사람들의 호언장담에 의해 실증될 수 없다.

489. 왜냐하면 다음과 같이 말하는 사람에게 우리들은 뭐라고 대꾸하는가? "당신이 그것을 아는 듯한 생각이 당신에게 떠올랐을 뿐이라고 나는 믿는다."

490. 이제 내가, "나는 내 이름이 ……라는 것을 아는가, 아니면 단지 믿는가?" 하고 묻는다면, 내가 나 자신 속을 들여다보는 것은 아무 소용이 없다.

그러나 나는 이렇게 말할 수 있을 것이다: 나는 내 이름이 그렇다는 것을 조금도 의심하지 않을 뿐만 아니라, 만일 그 점에 관해 어떤 의심이 일어난다면 나는 어떤 판단도 확신할 수 없을 것이다.

4월 10일

491. "나는 내 이름이 루트비히 비트겐슈타인이라는 것을 아는가, 아니면 단지 믿는가?"—그렇다, 그 물음이 "나는 내 이름이 ……이라는 것을 확신하는가, 아니면 단지 추측하는가?"를 뜻한다면, 사람들은 나의 대답을 신뢰할 수 있을 것이다.—

492. "……을 나는 아는가, 아니면 단지 믿는가?"는 이렇게도 표현될 수 있을 것이다: 만일 지금까지 나에게 의심될 수 없는 것으로 보였던 것이 잘못된 가정이었다는 것이 밝혀졌다고 보인다면 어떻게 될까? 그때 나는 어떤 믿음이 거짓으로 실증되었을 때처럼 반응할까? 아니면 그것은 나의 판단의 지반을 허물어뜨리는 것으로 보이게 될까?—그러나 물론 여기서 나는 어떤 예언을 원하고 있지 않다.

나는 단순히, "나는 그걸 전혀 생각해 본 적이 없을 거다!"라고 말하게 될까? 아니면 나는 나의 판단을 수정하기를 거부(해야)—왜냐하면 요컨대 그러한 '수정'은 일체의 척도를 없애 버리는 것과 같은 것이 될 터이므로—할까?

493. 그러니까, 아무튼 판단이란 것을 할 수 있으려면 나는 어떤 권위들을 승인해야 한다는 것인가?

494. "모든 판단을 포기하지 않고는 나는 이 명제에 대해 의심할 수 없다."
그러나 그것은 어떤 종류의 명제인가? (그것은 프레게[65]가 동일률에 관해서 말했던 것을 기억나게 한다.) 그것은 경험 명제는 확실히 아니다. 그것은 심리학에 속하지 않는다. 그것은 차라리 규칙의 성격을 지닌다.

495. 의심의 여지 없는 명제들에 대해 이의들을 제기하고자 하는 사람에게 우리들은 단순히, "어허, 헛소리!" 하고 말할 수 있을 것이다. 그러니까, 그에게 답변하는 것이 아니라 훈계할 수 있을 것이다.

496. 이는, 어떤 놀이가 늘 잘못 행해져 왔다고 말하는 것이 아무런 뜻도 없다는 것을 우리들이 보여 줄 때와 비슷한 경우이다.

497. 만일 어떤 사람이 나에게 항상 의심을 불러일으키고자 하여, 여기서 당신의 기억은 당신을 기만하고 있다, 저기서 당신은 속아 왔다, 또 저기서 당신은 충분히 철저하게 확인하지 않았다 하는 등등의 말을 한다면, 그리고 내가 흔들리지 않고 나의 확실성을 계속 고수한다면, ―그렇다면 이는, 이것이 비로소 하나의 놀이를 정의하기 때문에, 이미 잘못일 수 없다.

4월 11일

498. 이상한 것은, 나는 어떤 사람이 근본 토대에서의 의심들로써 자신을 현혹하려는 시도를 "헛소리!"라는 말로 물리치는 것은 전적으로 옳다고 보지

---

65 (옮긴이주) 프레게(Gottlob Frege, 1848~1925): 독일의 수학자이자 철학자로 예나 대학에서 가르쳤다. 현대 기호논리학의 창시자로 일컬어진다. 주요 저서로 《개념 표기법》, 《산수의 기초》, 《산수의 근본 법칙》이 있고, 주요 논문으로 〈뜻과 지시체에 관하여〉가 있다. 여기 언급된 프레게의 말은 《산수의 근본 법칙》(*Grundgesetze der Arithmetik*) I, xvii에 나온다.

만, 그가 가령 "나는 안다"라는 말을 쓰면서 자기를 변호하고자 한다면, 나는 그것을 옳지 않다고 여긴다는 것이다.

499. 나는 또한 이렇게도 말할 수 있을 것이다: '귀납 법칙'에 대해서는 경험 소재에 관한 어떤 특수한 명제들에 대해서와 마찬가지로 근거를댈 수 없다.[66]

500. 그러나 나에겐 "나는 귀납 법칙이 참이라는 것을 안다"라고 말하는 것도 헛소리로 보일 것이다.

그런 진술이 법정에서 행해졌다고 생각해 보라. "나는 …… 법칙을 믿는다"라고 말하는 것이 더 올바를 것이다. 여기서 '믿는다'는 추측한다와는 아무 관계도 없다.

501. 나는 점점 더, 논리는 결국 기술될 수 없다고 말하는 데로 가고 있지 않은가? 당신은 언어의 실천을 주시해야 한다. 그러면 당신은 논리를 본다.

502. 만일 나의 진술이 다른 사람들의 증언과 항상 또는 대체로 모순된다면, "나는 내 손의 위치를 눈 감고도 안다"라고 말할 수 있을까?

503. 내가 어떤 대상을 바라보고, "그것은 나무이다", 또는 "나는 그것이 ……이라는 것을 안다"라고 말한다.—이제 내가 그 근처로 가고, 사태가 다르다는 것이 드러난다면, 나는 "그것은 아무래도 나무가 아니었다"라고 말

66 (옮긴이주) 일찍이 비트겐슈타인은 《논리-철학 논고》에서 다음과 같이 말한 바 있다: "귀납의 과정은 우리가 우리의 경험들과 조화될 수 있는 **가장 단순한** 법칙을 받아들인다는 **것**에 있다. 그러나 이 과정은 논리적이 아닌 단지 심리적인 정초를 가질 뿐이다."(6.363-6.3631)

할 수 있다. 또는 나는 "그것은 나무였다, 그러나 이제 더는 나무가 아니다" 라고 말한다. 그러나 이제 만일 다른 모든 사람들이 나와 모순되고, 그것은 결코 나무가 아니었다고 말한다면, 그리고 다른 모든 증언들이 나와 반대된다면,—그 경우 내가 여전히 "나는 …… 안다"라고 고집하는 것이 무슨 쓸모가 있을까?

504. 내가 어떤 것을 아는지는, 증거가 나를 옳다고 해 주는지 아니면 나와 모순되는지에 달려 있다. 왜냐하면 어떤 사람이 자기가 고통스럽다는 것을 안다고 말하는 것은 아무것도 뜻하지 않기 때문이다.

505. 우리들이 어떤 것을 안다면, 그것은 언제나 자연의 은총에 의해서이다.

506. "여기서 내 기억이 나를 기만한다면, 그것은 어디서나 나를 기만할 수 있다."

내가 그것을 알지 못한다면, 나는 어떻게 내가 내 말이 의미하는 것이라고 믿는 것을 내 말이 의미하는지는 아는가?

507. "이것이 나를 기만한다면, 그렇다면 '기만한다'라는 말은 아직도 무엇을 뜻하는가?"

508. 나는 무엇을 신뢰할 수 있는가?

509. 내가 원래 말하고자 하는 것은, 우리들이 어떤 것을 신뢰할 때만 언어놀이가 가능하다는 것이다. (나는 "어떤 것을 신뢰할 수 있을 때"라고 말하지 않았다.)

510. "나는 물론 그것이 수건이라는 것을 안다"라고 내가 말한다면, 나는 하나의 표명[67]을 하는 것이다. 나는 검증을 생각하지 않는다. 나에게 있어서 그것은 하나의 직접적인 표명이다.

나는 과거나 미래를 생각하지 않는다. (그리고 물론 무어도 역시 그렇다.)

직접적으로 붙잡는 것처럼 꼭 그렇게; 내가 의심하지 않고 수건을 잡는 것처럼 말이다.

511. 그렇지만 이 직접적인 붙잡음은 아무래도 확신에 대응되지, 앎에 대응되지 않는다.

그러나 나는 또한 사물의 이름도 그렇게 붙잡지 않는가?

4월 12일

512. 하지만 문제는 이것이다: "만일 당신이 이 가장 근본적인 것들에서도 당신의 견해를 바꾸어야 한다면 어떻게 될까?" 그리고 이에 대한 대답은 내가 보기에는 다음과 같다: "당신은 그것을 바꾸어서는 안된다. 그것이 '근본적'이라는 것은 바로 그 점에 있다."

513. 만일 정말로 전대미문의 어떤 것이 발생한다면 어떻게 될까? 가령, 만일 내가 집들이 뚜렷한 원인 없이 점차 연기로 변해 버리는 것을 본다면; 만일 풀밭 위의 가축들이 물구나무서고, 웃으며, 알아들을 수 있는 말로 말을 한다면; 만일 나무들이 점점 사람들로, 그리고 사람들은 나무들로 변한다면. 이제 이 모든 사건들 앞에서 내가 "나는 그것이 집이라는 것을 안다"라는 등등의 말을 했거나, 또는 단순히 "그것은 집이다"라는 등등의 말을 했다면,

---

67 (옮긴이주) 원말은 'Äußerung'. 앞의 §180 각주 참조.

나는 옳았는가?

514. 나에게 이 진술은 근본적인 것으로 보였다. 그것이 거짓이라면, 무엇이 아직도 '참'이며 '거짓'인가?!

515. 나의 이름이 루트비히 비트겐슈타인이 아니라면, "참" 또는 "거짓"이라는 말로 이해될 수 있는 것을 나는 어떻게 신뢰할 수 있는가?

516. 만일 나에게 내 이름에 대한 의심을 불러일으키기 쉬운 어떤 것이 발생한다면 (예컨대 만일 누군가가 나에게 어떤 것을 말한다면), 이런 의심의 근거들 자체를 의심스럽게 보이게 만드는 어떤 것도 또한 확실히 존재할 것이며, 나는 말하자면 나의 오랜 믿음들을 유지하는 쪽으로 결단할 수 있을 것이다.

517. 그러나 나를 완전히 궤도 밖으로 내던질 어떤 것이 발생할 가능성이 있지는 않을까? 나에게 가장 확실한 것을 받아들일 수 없게 만들 증거가? 또는 어쨌든 내가 나의 가장 근본적인 판단들을 뒤엎도록 야기할 증거가? (여기서 옳게 하느냐 틀리게 하느냐는 똑같다.)

518. 나는 내가 이것을 다른 사람에게서 관찰하리라고 생각할 수 있을까?

519. 만일 당신이 "나에게 책을 가져오라"라고 하는 명령을 따른다면, 당신은 당신이 저기서 보는 것이 실제로 책인지 조사해야 한다는 것은 물론 가능하다. 그러나 그 경우 어쨌든 당신은 우리들이 "책"으로 무엇을 이해하는지는 안다. 그리고 당신이 그걸 모른다면, 당신은 가령 사전 따위를 찾아 볼 수

있다, ―그러나 그 경우 당신은 어쨌든 다른 낱말이 무엇을 의미하는지는 알아야 한다. 그리고 어떤 낱말이 이러이러한 것을 의미하고, 이러이러하게 쓰인다는 것은, 저 대상이 책이라고 하는 것과 마찬가지로 또다시 하나의 경험적 사실이다.

그러니까 명령을 따를 수 있기 위해서는 당신은 어떤 경험적 사실에 관해서는 의심이 없어야 한다. 그렇다, 의심은 오직 의심을 벗어나 있는 것에 의거한다.

그러나 언어놀이는 시간 속에서 반복되는 놀이 행위들에 있는 어떤 것이므로, 우리들은 어떠한 개별적인 경우에도, 만일 언어놀이가 존재해야 한다면 이러이러한 것은 의심을 벗어나 있어야 한다고 말할 수 없다고 보인다. 그러나 일반적으로 그 어떤 경험 판단들이 의심을 벗어나 있어야 한다고는 충분히 말할 수 있다고 보인다.

4월 13일

520. 무어는 자기 앞에 나무가 있다는 것을 자신이 안다고 말할 상당한 권리가 있다. 물론 그는 그 점에 있어서 오류를 범할 수 있다.(왜냐하면 그것은 실로 여기서 "나는 거기에 나무가 있다고 믿는다"라는 발언과 같지 않기 때문이다.) 그러나 그가 이 경우 옳은지 또는 오류를 범하는지는 철학적으로 중요하지 않다. 무어가 우리들은 원래 그런 어떤 것을 알 수 없다고 말하는 사람들과 싸운다면, 그는 자신이 이러이러한 것들을 안다고 단언함으로써 싸울 수 없다. 왜냐하면 우리들이 그의 그런 단언을 믿어야 할 필요는 없기 때문이다. 만일 그의 적들이, 우리들은 이러이러한 것을 믿을 수 없다고 주장했더라면, 그는 그들에게, "나는 그것을 믿는다"라고 대답할 수 있었을 것이다.

4월 14일

521. 무어의 잘못은, 우리들은 그것을 알 수 없다는 주장에 대해 "나는 그것을 안다"라고 대꾸한 데 있다.

522. 우리는 말한다: 어린아이가 언어를—그리고 따라서 그 적용을—숙달한다면, 그 아이는 말의 의미들을 알아야 한다. 예컨대 그 아이는 흰 것, 검은 것, 붉은 것, 파란 것에다 그 색 이름을 아무런 의심도 없이 붙일 수 있어야 한다.

523. 그렇다, 여기서는 또한 아무도 의심이 없어서 아쉬워하지 않는다. 우리가 말의 의미를 단지 추측하지 않는다고 해서 아무도 놀라지 않는다.

4월 15일

524. 어떤 지점들에서 의심이 등장하지 않는다는 것은 우리의 언어놀이들(예컨대 '명령함과 복종함')에 대해서 본질적인가? 아니면 의심의 가벼운 기미와 함께라도, 확신의 느낌이 존재한다면 충분한가?

그러니까, 내가 어떤 것을 지금처럼, 주저하지 않고, 그 어떤 의심의 간섭 없이, '검정', '초록', '빨강'이라 명명하지는 않지만—그러나 그 대신 어쨌든 "나는 그것이 붉다고 확신한다"라고, 가령 우리들이 "나는 그가 오늘 올 거라고 확신한다"라고 말하듯 (그러니까 '확신의 느낌을 가지고') 말한다면 충분한가?

물론 그 부수되는 느낌은 우리에게는 아무래도 좋다. 그리고 그와 꼭 마찬가지로 우리는 "나는 ……임을 확신한다"라는 말에 신경 쓸 필요도 없다.—중요한 것은, 언어의 실천에서의 차이가 그것과 합치하느냐이다.

예를 들어 우리가 확신을 갖고 보고를 하는 곳—예컨대 실험을 할 적에 우리는 시험관을 들여다보고 그것을 통해 우리가 관찰하는 색깔을 보고한다—에서 사람이 언제나 "나는 확신한다"라고 말하는지는 문제될 수 있을 것이다. 그가 이렇게 말한다면, 우리들은 무엇보다 먼저 그의 언명을 재고하는 쪽으로 기울어질 것이다. 그러나 그가 전적으로 신뢰 가능하다는 것이 드러나면, 우리들은 그의 어법이 단지 괴팍할 뿐이고, 문제에 영향을 끼치는 것은 아니라고 설명할 것이다. 예를 들면, 우리들은 그가 회의적인 철학자들을 읽었고, 사람은 아무것도 알 수 없다고 확신하게 되었으며, 그리고 그 때문에 이런 어법을 취한 것이라고 가정할 수 있을 것이다. 일단 우리가 그것에 익숙해지면, 그것은 실천에 아무런 손실도 입히지 않는다.

525. 그러면 어떤 사람이 예컨대 색 이름들에 대해서 정말로 우리와 다른 관계를 갖는 경우는 어떻게 보일까? 즉, 그것들의 쓰임에서 약간의 의심, 또는 의심의 가능성이 존속하는 경우는.

4월 16일

526. 누가 영국의 우체통을 바라보면서 "나는 그것이 붉다고 확신한다"라고 말한다면, 우리는 그를 색맹이라고 여겨야 하거나, 아니면 그가 국어를 숙달하지 못하였고, 올바른 색 이름들을 다른 언어로 아는 것일 거라고 믿어야 할 것이다.

만일 그 둘 중 어느 것도 사실이 아니라면, 우리는 그를 정녕 이해하지 못할 것이다.

527. 이 색깔을 "rot"("붉다")라고 부르는 독일인은 "그것이 독일어에서 'rot'라고 불린다고 확신"하지 않는다. 그 낱말의 사용에 숙달된 어린아이는 '이 색깔이 그의 언어에서 그렇게 불린다고 확신'하지 않는다. 우리들은 또한

그 아이에 대해서, 그 아이가 말을 배울 때 그 아이는 그 색깔이 독일어로 그렇게 불린다는 것을 배운다거나, 그 아이가 그 낱말의 쓰임을 배워 익혔을 때 그 아이는 그것을 안다고도 말할 수 없다.

528. 그럼에도 불구하고: 누군가가 나에게 그 색깔은 독일어로 뭐라고 하느냐고 물어서 내가 그에게 그것을 말하는데, 그가 나에게 "확실해요?" 하고 묻는다면, 나는 그에게 다음과 같이 대답할 것이다: "나는 그것을 안다; 독일어는 내 모국어다."

529. 또한 예컨대 아이는, 다른 사람에게나 또는 자기 자신에게, 자기는 이러이러한 것을 뭐라고 하는지 이미 안다고 말할 것이다.

530. 나는 누군가에게 (예를 들면 내가 그에게 독일어를 가르칠 때,) "이 색깔은 독일어로 'rot'라고 한다"라고 말할 수 있다. 나는 이 경우, "나는 이 색깔이 ……라고 한다는 것을 안다"라고 말하지 않을 것이다.—나는 그런 말을 가령 내가 그것을 지금 막 배웠거나, 아니면 그 독일어 명칭을 내가 알지 못하는 다른 색깔과 대조할 때 말할 것이다.

531. 그러나 이제 나의 현재 상태를 이렇게, 즉 나는 이 색깔을 독일어로 뭐라고 하는지 안다고 기술하는 것은 옳지 않은가? 그리고 그것이 옳다면, 나는 왜 나의 상태를 "나는 …… 안다"라는 대응어를 가지고 기술해서는 안 되는가?

532. 무어가 나무 앞에 앉아서 "나는 이것이 ……라는 것을 안다"라고 말했을 때, 그는 말하자면 단순히 그 당시 자신의 상태에 관한 진리를 진술하였다.

[나는 지금, 계속해서 어떤 것을 잘못 놓아두고서는 그것을 다시—한번은 안경을, 한번은 열쇠꾸러미를—찾아야 하는 노파처럼 철학하고 있다.]

533. 자, 그의 상태를 맥락에서 벗어나 기술하는 것이 옳았다면, "이것은 나무이다"라는 말을 맥락에서 벗어나 진술하는 것도 똑같이 옳았다.

534. 그러나 다음과 같이 말하는 것은 잘못인가? "언어놀이를 숙달한 어린아이는 어떤 것을 알아야 한다."

그 말 대신에 "어떤 것을 할 수 있어야 한다"라고 말한다면, 그것은 군더더기 말일지도 모른다. 그렇지만 그것이 바로 내가 첫 번째 문장에 대하여 대꾸했으면 하는 것이다.—그러나: "어린아이는 자연사적인 지식을 획득한다." 이것은 이러이러한 식물을 뭐라고 부르는지를 어린아이가 물을 수 있다는 것을 전제한다.

535. "그건 뭐라고 하지?"라고 하는 물음에 어린아이가 올바로 대답할 수 있다면, 그 아이는 어떤 것을 뭐라고 부르는지를 안다.

536. 언어를 배우기 시작하는 어린아이는 물론 뭐라고 부른다는 개념을 아직 전혀 갖고 있지 않다.

537. 이 개념을 소유하지 않은 어떤 사람에 대해서 우리들이, 그는 이러이러한 것을 뭐라고 부르는지 안다고 말할 수 있는가?

538. 어린아이는—나는 이렇게 말했으면 한다—이러이러하게 반응하는 법을 배운다. 그리고 이제 아이가 그렇게 한다면, 그것으로 아이는 아직 아무

것도 아는 것이 아니다. 앎은 더 나중 단계에서 비로소 시작한다.

539. 안다는 것과 수집한다는 것은 그런 점에서 같은가?

540. 개는 "N"이라는 부름에는 N에게로 그리고 "M"이라는 부름에는 M에게로 달려가도록 배울 수 있을 것이다.—그러나 그렇다고 그 개가, 사람들의 이름이 무엇인지를 알까?

541. "그는 겨우 이 사람의 이름이 무엇인지를 알고, 저 사람의 이름이 무엇인지는 아직 모른다." 엄격히 말해서, 우리들은 사람들에게 이름들이 있다고 하는 개념을 아직 전혀 갖고 있지 않은 사람에 대해서는 그런 말을 할 수 없다.

542. "만일 내가 이 색깔의 이름이 '빨강'이라는 것을 알지 못한다면, 나는 이 꽃을 기술할 수 없다."

543. 어린아이는 그 어떤 형식으로 다음과 같이 말할 수 있기 훨씬 오래전에 사람들의 이름을 사용할 수 있다: "나는 이 사람의 이름이 무엇인지 안다; 나는 저 사람의 이름이 무엇인지는 아직 모른다."

544. 물론 나는 예컨대 선명한 핏빛을 가리키면서, "나는 이 색깔을 우리말로 뭐라고 하는지 안다"라고 진실하게 말할 수 있다. 그러나 ———

4월 17일

545. "어린아이는 '파랑'이라는 낱말이 어떤 색깔을 의미하는지 안다." 여기

서 아이가 아는 것은 결코 그렇게 단순하지가 않다.

546. 모든 사람이 이름을 알고 있지는 않은 색조들이 문제일 때, 나는 예컨대 "나는 이 색깔을 뭐라고 하는지 안다"라고 말할 것이다.

547. 겨우 이제야 말을 시작하고, "빨강" 및 "파랑"이란 낱말들을 사용할 수 있는 어린아이에 대해서 우리들은 아직 이렇게 말하지 않는다: "너는 이 색깔의 이름이 무엇인지 안다, 그렇지 응?"

548. 어린아이는 색깔의 이름을 물을 수 있기 전에 색깔 이름들의 사용을 배워야 한다.

549. 나는 저기에 의자가 있을 때만 "나는 저기에 의자가 있다는 것을 안다"라고 말할 수 있다고 하는 것은 잘못일 것이다. 물론 그것은 오직 그 경우에만 참이다. 그러나 저기에 의자가 있다고 내가 확신한다면, 비록 내가 틀렸더라도, 나는 그렇게 말할 권리가 있다.
〔권리 주장은 철학자의 사고력을 괴롭히는 저당 증서이다.〕

4월 18일
550. 어떤 사람이 어떤 것을 믿을 때, '그는 왜 그것을 믿는가'라고 하는 물음에 우리들이 항상 대답할 수 있어야 하는 것은 아니다. 그러나 그가 어떤 것을 안다면, "그는 어떻게 그것을 아는가?"라고 하는 물음에는 대답할 수 있어야 한다.

551. 그리고 우리들이 이 물음에 대답한다면, 그것은 일반적으로 승인된 원

칙들에 따라 행해져야 한다. 그렇게 해서 그런 어떤 것이 알려지는 것이다.

552. 나는 내가 지금 의자에 앉아 있다는 것을 아는가?—나는 그것을 알지 않는가?! 현재의 상황에서는 누구도, 내가 그것을 안다고 말하지 않을 것이다. 그러나 마찬가지로, 예컨대 내가 의식하고 있다고도 말하지 않을 것이다. 또한 통상적으로 우리들은 거리의 통행인들에 대해서도 그런 말을 하지 않을 것이다.

그러나 이제 우리들이 그런 말을 하지 않기는 하지만, 그렇다고 해서 그것이 그렇지 않은가??

553. 이상하다: 내가 특별한 동기 없이 "나는 안다"라고, 예컨대 "나는 내가 지금 의자에 앉아 있다는 것을 안다"라고 말한다면, 나에게 그 진술은 정당화되지 않았고 주제넘은 것으로 보인다. 그러나 내가 그 동일한 진술을 그것의 필요성이 있는 곳에서 한다면, 비록 내가 그것의 진리를 털끝만큼도 더 확신하지 않더라도, 나에게 그것은 완전히 정당화되고 일상적인 것으로 보인다.

554. 그 진술은 그것의 언어놀이에서는 주제넘지 않다. 거기서 그것은 인간의 언어놀이 바로 그것보다 더 상위에 있지 않다. 왜냐하면 거기서 그것은 한정된 적용을 갖기 때문이다.

그러나 내가 그 문장을 그것의 맥락 밖에서 말한다면, 그것은 잘못된 인상을 준다. 왜냐하면 그 경우 나는 마치 내가 아는 것들이 존재한다고 단언하고자 하는 듯하기 때문이다. 거기에 관해서는 신조차도 나에게 아무것도 이야기해 줄 수 없을 것이다.

4월 19일

555. 우리는 물이 불 위에 올려지면 끓는다는 것을 안다고 말한다. 어떻게 우리는 그것을 아는가? 경험이 그것을 우리에게 가르쳐 주었다.—나는 "나는 내가 오늘 일찍 조반을 먹었다는 것을 안다"라고 말한다; 그것은 경험이 나에게 가르쳐 주지 않았다. 우리들은 또한 "나는 그가 고통스럽다는 것을 안다"라고도 말한다. 언어놀이는 매번 다르며, 매번 우리는 확신하며, 매번 사람들은 우리가 알 만한 입장에 있다는 점에서 우리와 일치할 것이다. 그런 까닭에 실로 물리학의 명제들도 모든 사람을 위한 교과서들 속에서 볼 수 있는 것이다.

누군가가 자기는 어떤 것을 안다고 말한다면, 그것은 그가 일반적인 판단에 따라 알 만한 입장에 있는 어떤 것이라야 한다.

556. 우리들은 이렇게 말하지 않는다: "그는 그것을 믿을 만한 입장에 있다."

그러나 이렇게는 말한다: "이 입장에서 그것을 가정하는 것은 (또는 믿는 것은) 이성적이다."

557. 군법 회의는 이러이러한 입장에서 이러이러한 것을 확신을 갖고 가정하는 것이 (비록 틀리기는 해도) 이성적이었는지 여부를 판정해야 할 수도 있다.

558. 우리는 물이 이러이러한 상황에서는 끓으며, 얼지 않는다는 것을 안다고 말한다. 우리가 그 점에 있어서 오류를 범하고 있다고 생각될 수 있는가? 하나의 오류가 자신과 함께 모든 판단을 무너뜨리게 되지 않을까? 더욱이: 만일 그것이 넘어진다면, 무엇이 똑바로 설 수 있을까? 어떤 사람이 어떤 것을 발견해 내서, 이제 우리가 "그것은 오류였다"라고 말할 수 있을까?

미래에 무슨 일이 일어나든지 간에, 미래에 물이 어떻게 움직이든지 간에,—우리는 그것이 지금까지 무수한 경우에 그렇게 움직여 왔다는 것을 안다.

이 사실은 우리 언어놀이의 근본 토대 속으로 주입되어 있다.

559. 당신은 언어놀이란 말하자면 미리 볼 수 없는 어떤 것이라는 것을 명심해야 한다. 내 말뜻은: 그것은 근거가 뒷받침되어 있지 않다는 것이다. 이성적(또는 비이성적)이지 않다는 것이다.

그것은 거기에 있다—우리의 삶처럼.

560. 그리고 앎의 개념은 언어놀이의 개념과 결합되어 있다.

561. "나는 안다"와 "당신은 그것을 신뢰할 수 있다." 그러나 우리들이 전자 대신 언제나 후자로 바꿔 놓을 수는 없다.

562. 아무튼, '안다'라는 우리의 개념이 존재하지 않는 언어를 상상해 보는 것은 중요하다.

563. 비록 설득력 있는 어떤 근거도 제시할 수 없지만, 우리들은 "나는 그가 고통스럽다는 것을 안다"라고 말한다.—그것은 "나는 그가 고통스럽다고 확신한다"와 동일한 것인가?—아니다. "나는 확신한다"는 당신에게 주관적 확신을 준다. "나는 안다"는, 그것을 아는 나와 그것을 모르는 사람 간에 이해의 차이가 있음을 뜻한다. (가령 경험의 정도 차이에 근거한 이해의 차이.)

내가 "나는 안다"를 수학에서 말한다면, 그것에 대한 정당화는 하나의 증명이다.

이 두 경우에, "나는 안다" 대신 "당신은 그것을 신뢰할 수 있다"라고 말한다면, 그 근거 제시는 매번 다른 종류의 것이다.

그리고 근거 제시에는 끝이 있다.

564. 하나의 언어놀이: 벽돌들을 가져오기, 수중에 있는 돌들의 수효를 알려 주기. 그 수효는 때로는 어림짐작되며, 때로는 세어 나감으로써 확립된다. 그 경우에, "당신은 그렇게 많은 돌이 있다고 믿는가?"라고 하는 물음과 "나는 그것을 안다, 나는 그것들을 정확히 세었다"라고 하는 대답이 등장한다. 그러나 여기서 "나는 안다"는 빠질 수 있을 것이다. 그러나 세어 나가기, 무게를 달기, 충격을 측정하기 등등과 같이 여러 종류의 확실한 확인이 존재한다면, 어떻게 우리들이 아는가 하는 진술 대신에 "나는 안다"라는 진술이 등장할 수 있다.

565. 그러나 여기서, 이것은 "널빤지"라 부르고, 이것은 "기둥"(기타 등등)이라 부른다고 하는 '앎'에 관한 이야기는 아직 없다.

566. 그렇다, 나의 (2번)[68] 언어놀이를 배우는 어린아이는 "나는 이것을 '널빤지'라 부른다는 것을 안다"라고 말하는 법을 배우지 않는다.

그런데 어린아이가 이 문장을 사용하는 언어놀이가 물론 존재한다. 이는 어린아이에게 이름이 주어지자마자 아이가 그것을 또한 이미 사용할 수 있다는 것을 전제한다. 누군가가 나에게 "이 색깔의 이름은 '……'이라 한다"라고 말할 경우처럼 말이다.—그러니까 아이가 벽돌들을 가지고 하는 언어놀이를 배웠다면, 이제 우리들은 아이에게 가령 "그리고 이 돌은 '……'이라

68 (옮긴이주) 비트겐슈타인의 《철학적 탐구》 §2 참조.

고 부른다"라고 말할 수 있으며, 또 그렇게 해서 우리들은 원래의 언어놀이를 확장하였다.

567. 그런데 자, 내 이름이 루트비히 비트겐슈타인이라는 나의 앎은, 물은 100℃에서 끓는다는 앎과 같은 종류인가? 이 물음은 물론 잘못 제기되어 있다.

568. 만일 내 이름들 중 하나가 단지 아주 드물게만 쓰인다면, 내가 그 이름을 알지 못하는 일이 있을 수 있을 것이다. 내가 내 이름을 안다는 것은, 내가 그것을 다른 모든 사람과 마찬가지로 수없이 자주 사용하기 때문에, 오직 그 때문에 자명하다.

569. 내적 체험은 내가 어떤 것을 안다는 것을 나에게 보여 줄 수 없다.

따라서, 그럼에도 불구하고 내가 "나는 내 이름이 ……이라는 것을 안다"라고 말한다면, 그리고 어쨌든 그것이 명백히 경험 명제가 아니라면,———

570. "나는 내 이름이 이러하다는 것을 안다; 우리 중에 성인은 누구나 자기 이름이 무엇인지 안다."

571. "내 이름은 ……이라고 한다, 당신은 그것을 신뢰할 수 있다. 만일 그것이 잘못으로 실증된다면, 앞으로 당신은 나를 결코 더는 믿을 필요가 없다."

572. 아무튼 나는 내가 예컨대 나 자신의 이름에서 오류를 범할 수 없다는 것을 아는 것으로 보인다!

그것은 다음과 같은 말에서 표현된다: "그것이 잘못이라면, 나는 미친 거다." 그래 좋다, 그러나 그것은 말이다; 그것은 언어의 적용에 어떤 영향을 끼치는가?

573. 내가 어떤 것에 의해서도 그 반대를 납득할 수 없다는 점을 통해서?

574. 문제는, "나는 내가 그 점에 있어서 오류를 범할 수 없다는 것을 안다"거나 "나는 그 점에 있어서 오류를 범할 수 없다"라고 하는 것이 어떤 종류의 명제인가 하는 것이다.

여기서 이 "나는 안다"는 모든 근거들을 차단하는 것처럼 보인다. 나는 그것을 그냥 안다. 그러나 여기서 도대체 오류에 관해 이야기할 수 있다면, 내가 그것을 아는지는 검사될 수 있어야 한다.

575. "나는 안다"라는 말은 그러니까 내가 어디에서 신뢰할 만한지를 표시하여 알리려는 목적이 있을 수 있을 것이다. 그러나 그때 이 표시의 유용성은 경험으로부터 나와야 한다.

576. "내가 내 이름에 관해서 오류를 범하지 않는다는 것을 나는 어떻게 아는가?"라고 말하는 사람이 있을 수 있다. 그리고 만일 그가 거기에 대해, "왜냐하면 나는 그것을 매우 자주 사용해 왔으니까"라는 대답을 듣는다면, 그는 이렇게 더 물을 수 있을 것이다: "내가 그 점에 있어서 오류를 범하지 않는다는 것을 나는 어떻게 아는가?" 그런데 여기서 "나는 어떻게 아는가"는 더는 아무런 의미도 지닐 수 없다.

577. "나는 내 이름을 아주 확고하게 안다."

나는 그 반대를 보여 주고자 하는 그 어떤 논증도 고려하기를 거절할 것이다!

그런데 "나는 거절할 것이다"는 무엇을 뜻하는가? 그것은 의도의 표현인가?

578. 그러나 더 높은 어떤 권위가, 나는 진실을 모르고 있다고 나에게 단언할 수 있지 않을까? 그래서 내가, "저에게 가르쳐 주십시오!"라고 말하지 않으면 안 되도록 말이다. 그러나 그 경우 내 눈은 열려야 할 것이다.

579. 누구나 자기 이름을 대단히 자신 있게 안다는 것은 사람들의 이름을 가지고 하는 언어놀이의 일부를 이룬다.

4월 20일

580. 언제 내가 "나는 그것을 안다"라고 말하건, 그것이 거짓으로 밝혀지는 일이 어쨌든 있을 수 있을 것이다. (드러남.)

581. 그러나 그럼에도 불구하고 아마 나는 어찌할 바를 모를 수 있을 것이며, "나는 …… 안다"라고 계속 단언하게 될 것이다. 그러나 그 표현을 어린아이는 도대체 어떻게 배웠는가?

582. "나는 그것을 안다"는, 그것이 나에게 이미 친숙하다는 것을 뜻할 수 있다.—그러나 또한, 그것이 확실히 그렇다는 것을 뜻할 수 있다.

583. "나는 이것이 ……에서는 '……'이라 불린다는 것을 안다."—당신은 어떻게 그것을 아는가?—"나는 …… 배웠다."

나는 여기서 "나는 ……을 안다" 대신에 "이것은 ……에서는 '……' 이라 불린다"라고 바꿔 말할 수 있을까?

584. "안다"라는 동사를, 어떤 하나의 단순한 주장에 뒤이어 나오는 "당신은 그것을 어떻게 아는가?"라는 물음에서만 사용하는 것이 가능할까?—우리들은 "나는 그것을 이미 안다" 대신에 "그것은 나에게 친숙하다"라고 말한다; 그리고 이것은 오직 사실의 보고에 뒤이어 나온다. 그러나 우리들은 "나는 그것이 무엇인지 안다" 대신에는 무엇을 말하는가?

585. 그러나 "나는 그것이 나무라는 것을 안다"는 "그것은 나무이다"와는 다른 어떤 것을 말하지 않는가?

586. "나는 그것이 무엇인지 안다" 대신에 우리들은 "나는 그것이 무엇인지 말할 수 있다"라고 말할 수 있을 것이다. 그런데 만일 우리들이 이 표현 방식을 채택한다면, 그 경우 "나는 그것이 ……이라는 것을 안다"는 무엇이 될까?

587. "나는 그것이 ……이라는 것을 안다"가 "그것은 ……이다"와 다른 어떤 것을 말하는지의 문제로 돌아가자.—첫 번째 문장에서는 사람이 언급되었고, 두 번째 문장에서는 언급되지 않았다. 그러나 이것은 그것들이 상이한 뜻을 지니고 있다는 것을 보여 주지 않는다. 어쨌건 우리들은 종종 첫 번째 형식을 두 번째 형식으로 대체하고서는 이 후자에 종종 특별한 억양을 준다. 왜냐하면 반박되지 않은 확언을 할 때와 반박에 직면하여 그 확언을 고수할 때 우리들은 다르게 말하기 때문이다.

588. 그러나 "나는 ……이라는 것을 안다"라는 말로 나는 내가 특정한 상태에 있다고 말하는 데 반해서, "그것은 ……이다"라는 단적인 주장은 그런 말을 하는 게 아니지 않은가? 그런데도 그런 주장에 대해서 우리들은 종종 "당신은 어떻게 그것을 아는가?" 하고 대꾸한다.—"그러나 그것은 단지, 내가 이것을 주장한다는 사실이 나는 이것을 안다고 믿는다는 것을 인식시켜 주기 때문이다."—우리들은 이것을 다음과 같이 표현할 수 있을 것이다: 동물원에는 "이것은 얼룩말이다"라는 푯말이 붙어 있을 수 있다; 그렇지만 "나는 이것이 얼룩말이라는 것을 안다"라는 푯말은 없다.

"나는 안다"는 한 개인이 그것을 발언할 때에만 뜻이 있다. 그러나 그렇다면 그 발언이 "나는 …… 안다"인지 아니면 "그것은 ……이다"인지는 상관없다.

589. 사람은 도대체 어떻게 자신의 앎의 상태를 인식하는 법을 배우는가?

590. 우리들은 오히려 "나는 그것이 무엇인지 안다"라고 일컬어지는 상태를 인식하는 것에 관해 이야기할 수 있을 것이다. 여기서는 우리들이 이러한 앎을 실제로 소유하고 있다는 것이 확인될 수 있다.

591. "나는 그것이 어떤 종류의 나무인지 안다.—그것은 밤나무이다."

"나는 그것이 어떤 종류의 나무인지 안다. 나는 그것이 밤나무라는 것을 안다."

첫 번째 진술이 두 번째 진술보다 더 자연스럽게 들린다. 우리들이 "나는 …… 안다"를 두 번째로 말할 경우는, 확실성을 특별히 강조하고자 할 때, 가령 반박을 미연에 방지하려 할 때뿐이다. 첫 번째 "나는 안다"의 뜻은 대략, "나는 말할 수 있다"이다.

그러나 다른 경우에는 우리들은 "그것은 ……이다"라는 확인과 함께 시작하고, 그러고 나서 반박에 부딪칠 때, "나는 그것이 어떤 종류의 나무인지 안다"라고 대꾸함으로써 확실함을 강조할 수 있을 것이다.

592. "나는 그것이 어떤 종류의 ……인지 말할 수 있고, 게다가 확신을 갖고 말할 수 있다."

593. 비록 "나는 그것이 그렇다는 것을 안다"를 "그것은 그렇다"로 대체할 수 있을지라도, 그 하나의 부정을 다른 하나의 부정으로 대체할 수는 없다.

"나는 ……을 알지 못한다"와 더불어 언어놀이들에는 새로운 요소가 하나 들어온다.

4월 21일

594. "루트비히 비트겐슈타인"은 나의 이름이다. 그리고 만일 누가 그것을 반박한다면, 나는 그것을 확실하게 하는 수많은 연결 관계들을 곧바로 들이댈 것이다.

595. "그러나 그럼에도 불구하고 나는 어떤 사람이 만들어 내는 이 모든 연결 관계들이 하나도 실재와 일치하지 않는 것을 상상할 수 있다. 왜 내가 비슷한 경우에 처해 있어서는 안 되는가?"

내가 그런 사람을 상상한다면, 나는 또한 그를 둘러싸고 있는 어떤 실재, 어떤 세계도 상상한다; 그리고 이 세계와 어긋나게 생각하는 (그리고 말하는) 그를 상상한다.

596. 어떤 사람이 나에게 자기 이름은 아무개라고 알릴 때, 내가 그에게 "당

신은 그 점에 있어서 오류를 범할 수 있는가?" 하고 묻는 것은 뜻을 지닌다. 그것은 언어놀이에서 하나의 정식 물음이다. 그리고 거기에 대해 예, 아니오 하고 대답하는 것은 뜻을 지닌다.—그런데 물론 이 대답도 잘못될 수 없는 것은 아니다. 즉, 그것은 언젠가 잘못된 것으로 실증될 수 있다. 그러나 그것이 "당신은 ……할 수 있는가?"라고 하는 그 물음과 "아니다"라는 대답에서 그것들의 뜻을 앗아 가지는 않는다.

597. "당신은 그 점에 있어서 오류를 범할 수 있는가?"라고 하는 물음에 대한 대답은 그 진술에 특정한 무게를 준다. 그 대답은 또한 다음과 같을 수 있다: "나는 그렇게 믿지 않는다."

598. 그러나 "당신은 ……할 수 있는가?"라는 그 물음에 대해 우리들은 다음과 같이 대답할 수 없을까? "나는 당신에게 그 경우를 기술하고자 한다. 그러면 당신은 내가 오류를 범할 수 있는지를 스스로 판단할 수 있다."

예컨대, 어떤 사람의 이름이 문제가 될 때, 그 사람이 이 이름을 전혀 사용한 적은 없지만, 어떤 문서에서 그 이름을 읽은 것을 기억해 내는 경우가 있을 수 있을 것이다. 그리고 다른 한편으로, 그 대답은 이럴 수 있을 것이다: "나는 이 이름을 내 전 생애 동안 지녀 왔으며, 모든 사람들에 의해 그렇게 불려 왔다." 만일 이것이 "나는 그 점에 있어서 오류를 범할 수 없다"란 대답과 다름없지 않다면, 이 대답은 도대체 아무 뜻도 없다. 그렇지만 아주 명백하게도, 그것으로 매우 중요한 차이가 암시된다.

599. 우리들은 예컨대 물이 대략 100℃에서 끓는다는 명제의 확실함을 기술할 수 있을 것이다. 예컨대, 그것은 가령 내가 거명할 수 있을 이러저러한 명제들처럼 내가 언젠가 한 번 들어 본 적이 있는 명제가 아니다. 나 자신이

학교에서 그 실험을 해 보았다. 그 명제는 우리의 교과서들에서 매우 초보적인 것이며, 우리의 교과서들은 ……하기 때문에 이런 문제들에서 신뢰할 수 있다.—그런데 우리들은 그 모든 것들에 대해, 우리의 견해로는 나중에 잘못된 것으로 실증된 이러저러한 것을 사람들이 확실하다고 여겨 왔음을 보여 주는 예들을 반론으로 내밀 수 있다. [방주(傍註): 오늘날 우리들은 이전 시대의 오류를 인식했다고 믿는데, 후에 첫 번째 견해가 옳았다는 데로 이르게 되는 일도 일어날 수 있지 않은가? 등등.][69] 그러나 이 논증은 가치가 없다. 우리는 결국 **우리**가 근거들로 여기는 그런 근거들만을 제시할 수 있다고 말하는 것은 전혀 아무것도 말하는 바가 없다.[70]

여기에는 우리의 언어놀이들의 본질에 대한 오해가 밑바닥에 깔려 있다고 나는 믿는다.

600. 나는 어떤 종류의 근거를 갖고 있기에 실험 물리학의 교과서들을 신뢰하는가?

나는 그것들을 신뢰하지 않을 어떤 근거도 갖고 있지 않다. 그리고 나는 그것들을 신뢰한다. 나는 그러한 책들이 어떻게 성립되었는지 안다.—또는 오히려, 그것을 안다고 믿는다. 나는 몇 가지 증거를 갖고 있지만, 그것은 아주 충분하지는 않고 매우 산만한 종류이다. 나는 여러 가지를 들어 왔고, 보아 왔고, 읽어 왔다.

---

69 (옮긴이주) 노트에 적힌 유고에서 이 단락의 여백에 적힌 이 방주의 정확한 위치는 표시되어 있지 않다. 편집자는 이 방주를 다음 문장 "그러나 이 논증은 가치가 없다." 다음에 두었다. 그리고 시디롬 유고는 이 방주를 이 단락 끝에 두었다. 어느 쪽이든, 그러면 이 방주는 '이 논증'이 가리키는 앞의 '반론'이 가치가 없음을 보이는 논거를 제시하고 있는 것으로 이해된다. 그러나 이러한 이해는 문제를 지닌다고 보인다. 뒤의 §606과 연계해서 보면, 이 방주는 오히려 '이 논증'이 가리키는 앞의 '반론' 내용을 부연 설명하고 있는 것으로 보는 것이 옳다. 그러므로 이 방주의 위치는 '이 논증' 다음에 (괄호 같은 것을 쳐서) 두거나, 더 단순하게는 현재의 위치로 두는 것이 옳다고 보인다.

70 (옮긴이주) 왜 그런지는 §§604-608에서 더 분명해진다.

4월 22일

601. 언제나 실천을 생각하는 대신, 표현 및 표현을 사용하는 우리들의 기분에 대한 고찰을 통해 의미를 인식하고자 하는 위험이 늘 있다. 그런 까닭에 우리들은 표현을 그렇게 자주 읊조려 본다. 왜냐하면 마치 우리들은 우리들이 찾던 것을 표현에서, 그리고 우리들이 지니는 느낌에서 보아야 할 것 같기 때문이다.

4월 23일

602. 나는 "나는 물리학을 믿는다"라고 말해야 하는가, 아니면 "나는 물리학이 참이라는 것을 안다"라고 말해야 하는가?

603. 사람들은 나에게, 이러한 상황에서는 이것이 일어난다고 가르친다. 사람들은 몇 번 실험을 함으로써 그것을 발견해 내었다. 만일 이 경험과 더불어 하나의 체계를 형성하는 다른 경험들이 이 경험을 둘러싸고 있지 않다면, 그 모든 것은 물론 우리에게 아무것도 증명하지 않을 것이다. 그래서 사람들은 낙하 실험들을 했을 뿐만 아니라, 또한 공기 저항들 및 기타 등등도 실험한 것이다.

그러나 결국 나는 이러한 경험들 또는 그것들에 대한 보고들을 신뢰하며, 거기에 맞춰 나 자신의 행위들을 아무 주저 없이 조절한다. 그러나 이러한 신뢰도 역시 믿을 만한 것으로 입증되지 않았는가? 내가 그것을 판단할 수 있는 한, 그렇다.

604. 법정에서, 물은 대략 100℃에서 끓는다고 하는 물리학자의 진술은 무조건 진리로 받아들여질 것이다.

그런데 내가 이 진술을 불신한다면, 이 진술을 논박하기 위해서 나는 무엇을 할 수 있을까? 스스로 실험들을 시도한다? 이것들이 무엇을 증명해 줄까?

605. 그러나 만일 물리학자의 진술이 미신이고, 그것에 따라 판단을 내리는 것이 불에 의한 시험에 따라 신성 재판하는 것과 마찬가지로 불합리하다면 어떻게 될까?

606. 다른 사람이 내 생각에 비추어 볼 때 오류를 범했다는 것은 내가 지금 오류를 범하고 있다고 가정할 만한 어떤 근거도 아니다.—그러나 그것은 내가 오류를 범할 수 있다고 가정할 만한 근거는 아닌가? 그것은 나의 판단이나 행위에서의 그 어떤 불확실함에 대한 아무 근거도 아니다.

607. 재판관은 실로, "그것은 진리다—사람이 그것을 인식할 수 있는 한"이라고 말할 수 있을 것이다.—그러나 이 덧붙인 말이 무엇을 성취할 것인가? ("모든 이성적인 의심을 넘어서"[71])

608. 나의 행위에서 내가 물리학의 명제에 따르는 것은 잘못인가? 나는 그것에 대해 좋은 근거를 갖고 있지 않다고 말해야 하는가? 그것이 바로 우리가 '좋은 근거'라고 부르는 것이 아닌가?

609. 그것을 적절한 근거로 간주하지 않는 사람들을 우리가 만났다고 가정해 보자. 자, 우리는 그것을 어떻게 상상하는가? 그들은 물리학자 대신에 가령 신탁에 문의한다. (그리고 그 때문에 우리는 그들을 원시적이라고 여긴

71 (옮긴이주) §416 참조.

다.) 그들이 신탁에 문의하고 거기에 따르는 것은 잘못인가?—우리가 이것을 "잘못"이라고 부른다면, 우리는 이미 우리의 언어놀이를 출발점으로 삼고서 그들의 언어놀이와 싸우는 것이 아닌가?

610. 그리고 그들의 언어놀이와 싸우는 데 있어서 우리는 옳거나 옳지 않은가? 우리의 조치는 물론 온갖 표어들(슬로건들)로 떠받쳐질 것이다.

611. 서로 화해될 수 없는 두 원리가 실제로 마주치는 곳에서, 각자는 타자가 바보니 이단자니 하고 선언한다.

612. 나는 내가 타자와 '싸우게' 될 거라고 하였다,—그러나 나는 도대체 그에게 근거들을 제시하지는 못할까? 물론 제시할 것이다; 그러나 그것들이 어디까지 가겠는가? 근거들의 끝에는 설득이 있다. (선교사들이 원주민들을 개종시킬 때 무슨 일이 일어나는지를 생각해 보라.)

613. 이제 내가 "나는 가스불 위의 주전자 속에 든 물은 얼지 않고 끓게 된다는 것을 안다"라고 말한다면, 나는 이 "나는 안다"에 대해서 그 어떤 것에 대해서와 마찬가지로 정당화된다고 보인다. '만일 내가 어떤 것을 안다면, 나는 이것을 안다.'—또는 나는 내 맞은편에 있는 사람이 나의 오랜 친구 아무개라고 하는 것을 훨씬 더 큰 확실성을 갖고 아는가? 그리고 그것은, 내가 두 눈으로 보며, 만일 내가 거울을 들여다본다면 나는 내 두 눈을 볼 것이라는 명제와 어떻게 비교되는가?—나는 내가 여기서 어떻게 대답해야 하는지 확실하게 알지 못한다.—그러나 그럼에도 불구하고 그 경우들 간에는 차이가 있다. 만일 물이 불꽃 위에서 언다면, 나는 물론 대단히 놀라게 될 것이다. 그러나 나는 나에게 아직 알려져 있지 않은 어떤 영향을 가정하고서는,

가령 물리학자들에게 그 문제를 판정해 주도록 위임할 것이다.—그러나 무엇이, 이 사람은 내가 수년 동안 알고 지내는 아무개라는 것을 나로 하여금 의심하게 만들 수 있을 것인가? 여기서 의심은 모든 것을 함께 끌어내 혼돈 속으로 빠뜨리는 것으로 보일 것이다.

614. 즉: 만일 내가 사방팔방으로부터 "저 사람은 내가 늘 알았던—여기서 나는 "알았던"이란 말을 의도적으로 쓰고 있다—것과 같은 그런 이름으로 불리지 않는다"라고 반박당한다면, 이 경우 나는 모든 판단의 기초를 빼앗기게 될 것이다.

615. 자, 그것은 이런 뜻인가: "내가 도대체 판단이란 것을 할 수 있는 것은 오직, 사물들이 이러이러하게 (말하자면 친절하게) 행동하기 때문이다."

616. 그러나 사실들이 제아무리 심하게 길길이 날뛰더라도 내가 안장에 걸터앉아 있는 것은 도대체 생각할 수 없는 일일까?

617. 나는 어떤 사건들로 인해 예전의 놀이를 더는 계속할 수 없을 처지로 전락하게 될 것이다. 거기서 나는 그 놀이의 확실함으로부터 벗어나게 될 것이다.

그렇다, 언어놀이의 가능성이 어떤 사실들에 의해 제약되어 있다는 것은 자명하지 않은가?

618. 그렇다면 언어놀이는 그것을 가능하게 하는 사실들을 '보여줘야' 할 것처럼 보일 것이다. (그러나 그건 그렇지 않다.)

그럼 우리들은 오직 사건들에서의 어떤 규칙성만이 귀납을 가능하게 만든다고 말할 수 있는가? '가능하게'란 물론 '논리적으로 가능하게'라야 할 것이다.

619. 나는 이렇게 말해야 하는가: 비록 자연 사건에서 갑자기 불규칙성이 발생한다고 하더라도, 그것이 반드시 나를 안장에서 떨어뜨리지는 않을 것이다. 나는 전과 다름없이 추론들을 할 수 있을 것이다—그러나 이제 그것이 "귀납"이라 불릴는지는 다른 문제이다.

620. 특정한 상황 속에서 우리들은 "당신은 그것을 신뢰할 수 있다"라고 말한다. 그리고 이 단언은 일상 인어에서 정당하거나 부당할 수 있으며, 또 그것은 예언되었던 것이 맞지 않는 경우에도 역시 정당한 것으로 간주될 수 있다. 그 단언이 사용되는 하나의 언어놀이가 존재한다.

4월 24일

621. 만일 해부학에 관한 이야기가 나온다면, 나는 말할 것이다: "나는 12쌍의 신경이 뇌로부터 뻗어 나온다는 것을 안다." 나는 이 신경들을 결코 본 적이 없으며, 전문가조차도 그것들을 단지 소수의 견본에서 관찰하였을 따름이다.—바로 그렇게 해서 "나는 안다"란 말은 여기서 올바르게 사용된다.

622. 그러나 이제, "나는 안다"를 무어가 언급한 연결 관계에서 쓰는 것도, 최소한 특정한 상황 속에서는 옳다. ("나는 내가 인간임을 안다"가 무엇을 뜻하는지 나는 물론 모르겠다. 그러나 그것에 대해서도 우리들은 어떤 하나의 뜻을 부여할 수 있을 것이다.)

나는 이 문장들 각각에 대해, 그것을 우리의 언어놀이들 중 하나에서의 동작으로 만들어 주는 상황들을 상상할 수 있다. 이를 통해 그것은 철학적으로 경이로운 모든 것을 상실한다.

623. 이상한 것은, 내가 그런 경우에 항상 다음과 같이 (비록 잘못된 말이긴 하지만) 말했으면 한다는 것이다: "나는 그것을 안다—우리들이 그런 어떤 것을 알 수 있는 한." 이것은 옳지 않지만, 그 배후에는 올바른 어떤 것이 숨어 있다.[72]

624. 당신은 이 색깔이 우리말로 "초록"이라 불린다는 것에서 오류를 범할 수 있는가? 거기에 대한 나의 대답은 오직 "아니다"일 수 있을 뿐이다. 만일 내가, "그렇다,—왜냐하면 현혹은 항상 가능하기 때문이다"라고 말한다면, 그것은 전혀 아무것도 뜻하지 않을 것이다.

'왜냐하면 ……'이라는 그 보충 문장은 도대체 다른 사람에게는 알려져 있지 않은 어떤 것인가? 그리고 그것은 어떻게 해서 나에게 알려져 있는가?

625. 그러나 그것은 여기서 "초록"이란 낱말이 일종의 실언이나 순간적인 혼동에서 튀어나온다고는 생각할 수 없으리라는 것을 뜻하는가? 우리는 그런 경우들을 알고 있지 않은가?—우리들은 어떤 사람에게 이렇게 말할 수도 있다: "당신 혹시 실언하지 않았는가?" 이 말의 뜻은 가령 이렇다: "당신 그거 한 번 더 숙고해 보시오."—

그러나 이러한 주의 조치는 그것이 언젠가 끝이 날 경우에만 뜻을 지닌다.

끝이 없는 의심은 결코 의심이 아니다.

72 (옮긴이주) 앞 §§606-608 참조.

626. 다음과 같이 말하는 것도 역시 아무것도 뜻하지 않는다: "이 색깔의 우리말 이름은 확실히 '초록'이다,—내가 지금 실언하고 있거나 그 어떤 방식으로 혼동하고 있지 않다면."

627. 우리들은 이 유보 조항을 모든 언어놀이에 끼워 넣어야 하지 않을까? (이를 통해 그것의 뜻 없음이 드러난다.)

628. 우리들이 "어떤 명제들은 의심에서 제외되어야 한다"라고 말한다면, 나는 이 명제들—예컨대, 내 이름은 루트비히 비트겐슈타인이라 한다는 것—을 논리학 책 속에 받아들여야 할 것처럼 보인다. 왜냐하면 그것이 언어놀이의 기술(記述)에 속한다면, 그것은 논리에 속하기 때문이다. 그러나 내 이름이 루트비히 비트겐슈타인이라고 한다는 것은 그런 기술에 속하지 않는다. 사람들의 이름을 가지고 하는 언어놀이는 내가 내 이름에 관해 오류를 범하더라도 잘 성립할 수 있다,—그러나 그것은 다수의 사람들이 자신들의 이름에 관해 오류를 범한다고 말하는 것은 헛소리라는 것을 전제하고 있다.

629. 그러나 다른 한편으로, 내가 나 자신에 대해 "나는 내 이름에 관해 오류를 범할 수 없다"라고 진술한다면 그것은 옳고, 내가 "나는 아마 오류를 범하고 있을 것이다"라고 말한다면 잘못이다. 그러나 이는 내가 확실하다고 밝힌 것을 다른 사람들이 의심하는 것이 뜻이 없다는 것을 의미하지는 않는다.

630. 모국어에서 어떤 것들의 명칭에 관해 오류를 범할 수 없다는 것은 그야말로 통상적인 일이다.

631. "그 점에 있어서 나는 오류를 범할 수 없다"는 단순히 주장의 한 방식을 특징짓는다.

632. 확실한 기억과 불확실한 기억. 만일 확실한 기억이 불확실한 기억보다 일반적으로 더 신뢰 가능하지 않다면, 즉, 불확실한 기억보다 더 자주 다른 검증들을 통해 확증되지 않는다면, 확실함과 불확실함의 표현은 언어에서 그것이 현재 지니고 있는 기능을 지니지 않을 것이다.

633. "그 점에 있어서 나는 오류를 범할 수 없다"—그러나 그럼에도 불구하고 그 경우 내가 오류를 범하였다면 어떻게 되는가? 사실 그것은 가능하지 않은가? 그러나 그것이 "그 점에 있어서 나는 오류를 ……"이란 표현을 헛소리로 만드는가? 또는 그 말 대신에 "그 점에 있어서 내가 오류를 범하기는 어렵다"라고 말하는 것이 더 나을까? 아니다; 왜냐하면 이것은 다른 어떤 것을 뜻하기 때문이다.

634. "그 점에 있어서 나는 오류를 범할 수 없다. 그리고 최악의 경우 나는 나의 명제로 하나의 규범을 만든다."

635. "그 점에 있어서 나는 오류를 범할 수 없다. 나는 오늘 그와 함께 있었다."

636. "그 점에 있어서 나는 오류를 범할 수 없다. 그러나 그럼에도 불구하고 어떤 것이 내 명제에 반대하여 말하는 것처럼 보인다고 할 것 같으면, 나는 그 겉보기에 대항하여 나의 명제를 고수할 것이다."

637. "그 점에 있어서 나는 오류를 범할 수 없다"는 언어놀이에서 나의 주장의 자리를 지정해 준다. 그러나 그것은 본질적으로 나에게 관계되지, 놀이 일반에 관계되지 않는다.

내가 내 주장에서 오류를 범한다면, 이것은 언어놀이의 유용성을 빼앗지 않는다.

4월 25일

638. "그 점에 있어서 나는 오류를 범할 수 없다"는 어떤 진술이 지니는 확실성의 가치를 제시하는 데 쓰이는 통상적인 명제이다. 그리고 그것은 오직 그것의 일상적 쓰임에서만 정당화된다.

639. 그러나 내가 그것에 관해 오류를—자인할 정도로—범할 수 있고, 그러니까 그것이 뒷받침해야 할 명제에서도 오류를 범할 수 있다면, 그것은 도대체 무슨 도움이 되는가?

640. 아니면 나는 그 명제가 특정한 종류의 잘못을 배제한다고 말해야 하는가?

641. "그는 오늘 나에게 그것을 말했다,—그 점에 있어서 나는 오류를 범할 수 없다."—그러나 그럼에도 불구하고 그것이 거짓으로 실증된다면?!—여기서 우리들은 어떤 것이 '거짓으로 실증' 되는 방식들 간에 구별을 해야 하지 않는가?—나의 진술이 거짓이었다는 것이 도대체 어떻게 실증될 수 있는가? 여기에는 어쨌든 증거 대 증거가 있으며, 어느 쪽이 양보해야 하는가는 결단하지 않으면 안 된다.

642. 그러나 우리들이 다음과 같은 의혹을 품는다면? "어떤가, 말하자면 내가 갑자기 깨어나 '지금껏 나는 내 이름이 루트비히 비트겐슈타인이라고 공상해 왔다!' 라고 말한다면, —— 내가 또다시 깨어나 이번에는 이것을 이상한 공상이라고 밝히지 않으리라고 도대체 누가 말하는가?"

643. 물론 우리들은 '깨어난' 후에 무엇이 공상이었고 무엇이 현실이었는지를 결코 더는 의심하지 않는 경우를 상상할 수 있으며, 또 그런 경우들이 실제로 존재한다. 그러나 그런 경우는, 또는 그런 경우의 가능성은, "그 점에 있어서 나는 오류를 범할 수 없다" 라는 명제를 배척하지 않는다.

644. 왜냐하면 그렇지 않다면 모든 주장이 그렇게 배척되지 않을까?

645. 그 점에 있어서 나는 오류를 범할 수 없다, —그러나 아마 언젠가, 옳게건 그르게건, 나는 내가 판단 능력이 없었다는 것을 깨달았다고 믿을지도 모른다.

646. 만일 그런 일이 항상 또는 자주 일어난다면, 그것은 물론 언어놀이의 성격을 완전히 바꿀 것이다.

647. 말하자면 놀이 안에 한 자리가 예정되어 있는 오류와 예외적으로 일어나는 완전한 불규칙성 사이에는 차이가 있다.

648. 나는 또한 내가 '그 점에 있어서 오류를 범할 수 없다' 는 것을 다른 사람에게 납득시킬 수도 있다.

내가 어떤 사람에게 말한다: "모모 씨는 오늘 오전 나와 함께 있었으며,

나에게 이러이러한 이야기를 하였다." 그것이 놀랍다면, 아마 그는 나에게 이렇게 물을 것이다: "그 점에 있어서 당신이 오류를 범할 수는 없는가?" 이 말은 이런 뜻일지 모른다: "그 일은 정말 확실하게 오늘 오전에 일어났는가?" 그렇지 않으면 이런 뜻일지도 모른다: "당신은 그의 말을 정말 확실하게 올바로 이해했는가?"—내가 시간에 관해서 오류를 범하지 않았으며, 또 그와 마찬가지로 그 이야기를 오해하지도 않았다는 것을 내가 어떤 부연 설명들을 통해서 보여 줄 수 있을지는 쉽게 알 수 있다. 그러나 그 모든 것은 내가 그 모든 일을 꿈꾸지 않았다거나 꿈같이 공상하지 않았다는 것을 보여 줄 수 없다. 또한 그것은 내가 아마도 계속해서 실언해 오지 않았다는 것을 보여 줄 수도 없다. (그런 어떤 일이 일어난다.)

649. (나는 언젠가 어떤 사람에게—영어로—어떤 나뭇가지의 형태가 느릅나무에 특징적인 것이라고 말하였는데, 그것을 다른 사람은 반박하였다. 그리고 나서 우리는 물푸레나무들 옆을 지나가게 되었는데, 나는 "보게나, 여기에 내가 말한 그 나뭇가지들이 있네" 하고 말하였다. 거기에 대해 그는 말했다: "그러나 그건 물푸레나무일세."—그리고 나는 말했다: "내가 느릅나무라고 말했을 때 나는 언제나 물푸레나무를 뜻했네.")

650. 그럼에도 불구하고 그것은 오류의 가능성이 어떤 (그리고 빈번한) 경우에는 제거될 수 있음을 뜻한다.—그렇게 해서 (실로 또한) 계산상의 잘못이 제거된다. 왜냐하면 어떤 계산이 무수히 검산되었다면, 우리들은 이제 이렇게 말할 수 없기 때문이다: "그럼에도 불구하고 그것의 올바름은 단지 매우 개연적일 뿐이다,—왜냐하면 여전히 어떤 잘못이 숨어들어 왔을 수 있기 때문이다." 왜냐하면, 어차피 어떤 잘못이 발견된 것처럼 보인다고 가정한다면,—왜 우리가 여기서 어떤 잘못을 추측해서는 안 되는가?

651. 12×12=144라는 것에 관해서 내가 오류를 범할 수는 없다. 그리고 이제 우리들은 수학적 확실함을 경험 명제들의 상대적 불확실함과 대비할 수 없다. 왜냐하면 수학적 명제는 그 밖의 삶의 행위들과 어떤 방식으로도 구별되지 않는, 그리고 망각과 간과와 미혹에 같은 정도로 내맡겨져 있는 일련의 행위들을 통해 획득되었기 때문이다.

652. 이제 나는 이렇게 예언할 수 있는가? 즉, 사람들은 오늘날의 산수 명제들을 결코 뒤집어엎지 않을 것이라고, 그들은 사정이 어떠한지 이제 비로소 알겠다고는 결코 말하지 않을 것이라고 말이다. 그러나 그것이 우리 편에서의 의심을 정당화할까?

653. 12×12=144라는 명제가 의심으로부터 제외되어 있다면, 비수학적 명제들도 역시 그래야 한다.

1951년 4월 26일

654. 그러나 이에 대해 상당수의 반대가 제기될 수 있다.—첫째로, "12×12……"는 수학적 명제이며, 이로부터 우리들은 오직 그런 명제들만이 이런 위치에 있다고 추론할 수 있다. 그리고 만일 이 추론이 정당하지 않다면, 저 계산 과정을 다루는, 그러나 수학적이지 않은, 똑같이 확실한 어떤 명제가 존재해야 할 것이다.—나는 가령 이런 종류의 명제를 생각한다: "'12×12'라는 계산은, 만일 계산할 줄 아는 사람이 계산을 한다면, 대부분의 경우 '144'로 될 것이다." 이 명제를 누구도 반박하지 않을 것이다. 그리고 그것은 물론 수학적 명제가 아니다. 그러나 그것은 수학적 명제의 확실성을 지니는가?

655. 수학적 명제에는 말하자면 반박될 수 없음이라는 도장이 공식적으로

찍혀 있다. 즉: "다른 것들에 대해서나 싸우시오; 이것은 확고하며, 그 둘레에서 당신들의 싸움이 돌아갈 수 있는 하나의 지도리란 말이오."

656. 그런데 나의 이름은 루트비히 비트겐슈타인이라고 한다는 명제에 대해서는 그런 말을 할 수 없다. 이러이러한 사람들이 이러이러한 계산을 올바로 해냈다는 명제에 대해서도 역시 그런 말을 할 수 없다.

657. 수학의 명제들은 화석들이라고 말할 수 있을 것이다.[73]—"나의 이름은 ……이라고 한다"는 그렇지 않다. 그러나 나처럼 압도적인 증거를 갖고 있는 사람들에게는 그것도 역시 무너뜨릴 수 없는 것으로 간주된다. 그리고 이는 사려 없음에서 비롯되는 게 아니다. 왜냐하면 증거가 압도적이라는 것은 바로, 우리가 어떠한 대립적 증거 앞에서도 굴복할 필요가 없다는 점에 있기 때문이다. 그러므로 여기서 우리는 수학의 명제들을 무너뜨릴 수 없게 만드는 것과 비슷한 버팀목을 갖고 있다.

658. "그러나 당신은 지금 어떤 망상에 사로잡혀 있고, 당신은 당신이 그랬다는 것을 아마 나중에 발견해 낼 수 있지 않을까?"라는 물음은 구구법의 모든 명제에 대해서도 역시 제기될 수 있을 것이다.

659. "나는 내가 지금 막 점심 식사를 하였다는 것에 관해 오류를 범할 수 없다."

그렇다, 내가 어떤 사람에게 "나는 금방 점심을 먹었다"라고 말한다면,

---

73 (옮긴이주) 비트겐슈타인의 《수학의 기초에 관한 소견들》(3판) VI §23 참조. 거기서 비트겐슈타인은 "25×25=625"와 같은 산수 명제는 "말하자면 규칙으로 경화(硬化)된 경험 명제" — "그것은 그러니까 경험에 의한 통제에서 벗어나 있지만, 이제는 경험을 판정하는 범례로 쓰인다" — 라고 말한다.

그는 내가 거짓말을 하고 있거나 아니면 지금 제정신이 아니라고 믿을지 모른다. 그러나 그는 내가 오류를 범하고 있다고는 믿지 않을 것이다. 그렇다, 내가 오류를 범할 수 있을 것이라고 하는 가정은 여기서 아무런 뜻도 없다.

그러나 그것은 맞지 않다. 예컨대 나는 식사 직후에 나도 모르게 꾸벅꾸벅 졸며 한숨 자고 나서는, 이제 내가 막 식사하였다고 믿을 수 있을 것이다.

그러나 어쨌든 나는 여기서 상이한 종류의 오류들을 구별한다.

660. 나는 이렇게 물을 수 있을 것이다: "내 이름이 루트비히 비트겐슈타인이라는 것에 관해 어떻게 내가 오류를 범할 수가 있을까?" 그리고 나는 이렇게 말할 수 있다: 나는 그것이 어떻게 가능할지 모른다.

661. 나는 결코 달에 간 적이 없다는 가정에서 어떻게 내가 오류를 범할 수 있을까?

662. 만일 내가 "나는 달에 간 적이 없다—그러나 나는 오류를 범할 수 있다"라고 말한다면, 그것은 어리석을 것이다.

왜냐하면 내가 알려지지 않은 수단에 의해서, 잠든 사이에, 정말 거기로 운송되었을 수 있으리라는 생각조차도, 가능한 오류에 관해 여기서 이야기할 수 있는 어떠한 권리도 나에게 주지 않을 것이기 때문이다. 만일 내가 그런 이야기를 한다면, 나는 놀이를 잘못하고 있다.

663. 내가 비록 오류에 빠져 있다 하더라도, 나는 "나는 여기서 오류를 범할 수 없다"라고 말할 권리가 있다.

664. 다음 둘에는 차이가 있다: 수학에서 무엇이 옳고 그른지를 우리들이

학교에서 배우느냐, 아니면 내가 어떤 명제에 관해 오류를 범할 수 없다고 나 자신이 밝히느냐.

665. 여기 후자에서 나는 일반적으로 확립된 것에다 특별한 것을 첨가한다.

666. 그러나 예컨대 해부학(또는 그것의 대부분)의 경우는 어떤가? 그것이 기술하는 것도 역시 일체의 의심으로부터 제외되어 있지 않은가?

667. 내가 비록, 사람들은 꿈속에서 달나라로 옮겨질 거라고 믿는 민족에게로 간다고 하더라도, 나는 그들에게 이렇게 말할 수 없을 것이다: "나는 결코 달에 간 적이 없다.―물론 내가 오류를 범할 수는 있다." 그리고 "당신은 오류를 범할 수 없는가?"라고 하는 그들의 물음에 대해 나는 이렇게 대답해야 할 것이다: 그렇다, 범할 수 없다.

668. 내가 어떤 보고를 하고, 그 점에 있어서 나는 오류를 범할 수 없다고 덧붙인다면, 그것은 어떤 실천적 결과들을 갖는가?

(나는 그것 대신 또한 이렇게도 덧붙일 수 있을 것이다: "그 점에 있어서 나는 내 이름이 루트비히 비트겐슈타인이라는 점에 있어서와 마찬가지로 오류를 범할 수 없다.")

그럼에도 불구하고 다른 사람은 나의 진술에 대해 의심할 수 있을 것이다. 그러나 그가 나를 신뢰한다면, 그는 기꺼이 나의 말을 들어 볼 뿐만 아니라, 나의 확신으로부터 나의 행동에 관해 특정한 결론들을 끌어내기도 할 것이다.

669. "그 점에 있어서 나는 오류를 범할 수 없다"란 문장은 확실히 실천에서

사용된다. 그러나 우리들은 그것이 그 경우 아주 엄격한 뜻으로 이해될 수 있는지, 또는 오히려 그것은 아마도 단지 설득을 목적으로 쓰이는 일종의 허풍인지를 의심할 수 있다.

4월 27일
670. 우리들은 인간이 하는 연구의 근본 원리들에 관하여 이야기할 수 있을 것이다.

671. 나는 여기서부터 어떤 대륙으로 날아간다. 그곳 사람들은 비행의 가능성에 대해서 단지 불확실한 정보를 갖고 있거나 전혀 아무런 정보도 갖고 있지 않다. 나는 그들에게, 나는 지금 막 ……로부터 당신들에게 날아왔다고 말한다. 그들은 내가 오류를 범할 수 있을지 나에게 물어 본다.—그들은 일이 일어나는 방식에 관해 명백히 잘못된 표상을 지니고 있다. (만일 내가 궤짝 속에 꾸려져 포장된다면, 내가 그 운송 방식에 관해 오류를 범하는 것은 가능할 것이다.) 내가 그들에게 단지, 나는 오류를 범할 수 없다고만 말한다면, 아마 그것은 그들을 납득시키지 못할 것이다. 그러나 내가 그들에게 그 과정을 기술한다면 혹시 모른다. 그들은 그 점에서는 오류의 가능성을 확실히 문제 삼지 않을 것이다. 그러나 그때 그들은—비록 그들이 나를 신뢰하더라도—내가 꿈을 꾸었거나 또는 내가 마법에 걸려 그런 공상을 하였다고 믿을 수 있을 것이다.

672. '내가 그 증거를 신뢰하지 않는다면, 왜 내가 그 어떤 증거를 신뢰해야 하는가?'

673. 내가 오류를 범할 수 없는 경우들과 내가 오류를 범하기 어려운 경우들을 구별하기는 어렵지 않은가? 한 경우가 어떤 종류에 속하는가 하는 것이

항상 분명한가? 나는 그렇게 믿지 않는다.

674. 그러나 이제, 나는 오류를 범할 수 없다고 하는 나의 말이 정당한, 특정한 유형의 경우들이 존재한다. 그리고 무어는 그런 경우들의 몇몇 예를 제시하였다.

나는 여러 가지 전형적인 경우를 열거할 수 있지만, 일반적인 특성을 진술할 수는 없다. (아무개 씨는 자기가 며칠 전 미국으로부터 영국으로 날아갔다는 것에 관해 오류를 범할 수 없다. 오직 그가 멍청한 사람일 때만, 그는 다른 어떤 것이 가능하다고 여길 수 있다.)

675. 만일 어떤 사람이 자기가 며칠 전 미국으로부터 영국으로 날아갔다고 믿는다면, 나는 그가 그것에 관해 오류를 범할 수는 없다고 믿는다.

어떤 사람이 자기는 지금 책상에 앉아 글을 쓰고 있다고 말하는 경우에도 마찬가지다.

676. "그러나 내가 이런 경우에 오류를 범할 수 없다고 하더라도, ―내가 마취되어 있을 가능성은 있지 않은가?" 내가 마취되어 있다면, 그리고 마취가 내 의식을 앗아가 버린다면, 이제 나는 실제로 말하고 생각하는 것이 아니다. 나는 내가 지금 꿈꾸고 있다고 진지하게 가정할 수 없다. "나는 꿈꾸고 있다"라고 꿈을 꾸면서 말하는 사람은, 비록 그가 그때 사람들이 들을 수 있도록 말을 한다 해도 옳지가 않다. 이는 실제로 비가 오는 동안 그가 꿈속에서 "비가 온다"라고 말하더라도 그는 옳지 않은 것과 마찬가지이다. 비록 그의 꿈이 억수 같은 빗소리와 실제로 연관되어 있을지라도 말이다.[74]

---

74 (옮긴이주) 비트겐슈타인의 《쪽지》 §§396~400 참조.

*

비트겐슈타인 연보

1889년 4월 26일 저녁 8시 30분, 합스부르크 제국의 수도였던 오스트리아의 빈에서 출생하다. 루트비히 요제프 요한(Ludwig Josef Johann)이란 이름으로 세례를 받다. 집안은 외할머니를 제외하고는 모두 유태계였으나, 부계(父系)는 개신교로 개종했고 어머니는 가톨릭을 믿었다. 아버지 카를(Karl)은 자수성가하여 철강 재벌이 된 사업가였고, 어머니 레오폴디네(Leopoldine)는 음악 후원자이자 그 자신도 재능 있는 피아니스트였다. 루트비히는 5남 3녀의 막내였다.

1903년 가을에 린츠 국립실업고등학교에 입학하다. (같은 학교에 그와 동갑인 히틀러가 1년 후에 입학한다.) 그때까지는 아버지의 교육 방침에 따라 학교에 다니지 않고 여러 명의 가정교사에게 개인 교수를 받았다. 고등학교 시절, 급우들과 잘 어울리지 못했으며 성적도 종교 과목을 제외하고는 좋지 않았다. 이 시절에 카를 크라우스의 풍자적 잡지인 《횃불》, 쇼펜하우어의 《의지와 표상으로서의 세계》, 바이닝거의 《성과 성격》, 헤르츠의 《역학 원론》, 볼츠만의 《대중적 저술들》 등을 읽은 것으로 알려져 있다.

1904년 음악에 재능이 있었으나 아버지와의 갈등으로 집을 나갔던 맏형 한스(Hans)가 1902년 미국 체사피크 만에서 실종(자살로 추정됨)된 데 이어, 연극에 관심이 있던 셋째 형 루돌프(Rudolf)가 베를린에서 청산염을 마시고 자살하다.

1906년 가을. 고등학교 졸업과 함께 기계공학 공부를 위해 지금의 베를린 공대의 전신인 베를린-샤를로텐부르크 기술전문대학에 등록하다. (원래는 빈에서 볼츠만에게 물리학을 공부하려 했으나 이 해 여름 볼츠만이 자살하는 바람에 계획을 변경했다.) 이 시절부터 철학 노트를 작성하기 시작한 것으로 알려져 있다.

1908년 봄. 아버지의 권고에 따라 영국의 맨체스터 대학으로 유학 떠나다. 연을 이용한 항공학 실험들을 하다가, 가을에 기계공학부 연구생으로 등록하여 비행기 제트엔진과 프로펠러 제작을 연구하다. (그 연구 결과는 1911년 8월에 특허를 취득한다. 그리고 이 연구에 나타난 엔진 방식은 약 30년 후 헬리콥터 개발로 이어진다.) 동시에, 연구와 관련된 수학 문제들, 특히 수학 기초의 문제들에 점점 더 강한 흥미를 가지게 되어, 러셀의 《수학의 원리들》과 프레게의 《산수의 근본 법칙》을 읽게 되다.

1911년 여름. 나름대로의 철학적 구상을 가지고 예나의 프레게를 방문하다. 아마도 이때 프레게의 권유로, 가을 이후에는 러셀과 함께 공부하기 위해 (맨체스터 대학에 등록된 상태에서) 케임브리지 대학으로 옮기다. 러셀의 강의를 청강하며 그와 논리-철학적인 문제들을 토론하기 시작하다. 첫 학기가 끝난 후, 자신이 철학적 재능이 있는지를 고민하던 비트겐슈타인은 러셀에게 판단을 요청했고, 러셀은 방학 동안 글을 써서 제출해 볼 것을 요구한다. 러셀은 제출된 논문의 첫 문장에서 비트겐슈타인의 천재성을 확신하고, 그에게 철학자의 길을 가도록 권한다.

1912년 2월에 케임브리지 대학교 트리니티 칼리지에 정식 입학하다. 러셀 외에도 무어 등의 강의를 들었고, 제임스의 《종교적 경험의 다양성》을 읽다. 또 러셀과 함께 《수학 원리》를 쓴 화이트헤드, 경제학자 케인즈, 그리고 나중에 《논리-철학 논고》를 헌정하게 되는 친구 핀센트를 알게 되다. 케임브리지 대학 도덕학 클럽의 멤버가 되어 활동하고, 11월에는 '사도들'이라는 모임의 회원으로 뽑히다. 12월에 도덕학 클럽에서 '철학이란 무엇인가?'라는 주제로 발표하고, 빈으로 돌아가는 길에 예나에 있는 프레게를 방문하다.

1913년 1월. 부친이 사망하다. 그리고 막대한 유산을 상속받다. 3월. 코피의 《논리의 과학》에 대한 비판적 서평을 《케임브리지 리뷰》에 기고하다. 이후 프레게의 《산수의 근본 법칙》의 부분들을 주르댕과 함께 영역하다. (이 번역은 후자의 이름만을 번역자로 하여 나중에 《모니스트》지에 발표되었다.) 9월. 방해받지 않고 논리학을 연구할 수 있는 곳을 찾기 위해 핀센트와 함께 노르웨이를 방문하다. 10월 초. 노르웨이로 이주하기 전 러셀과 핀센트를 각각 만나 그동안의 연구를 구술하다. (이것의 속기본과 타자본이 나중에 《노트북 1914~1916》의 부록인 〈논리학 노트〉로 출판된다.) 10월 말. 노르웨이의 베르겐 근처 작은 마을로 이주하다.

1914년 3월 29일~4월 14일. 노르웨이의 비트겐슈타인을 방문한 당시 지도교수 무어에게 그동안 작업한 '논리학'의 핵심 내용을 구술하다. (무어가 받아 적은 내용은 《노트북》의 두 번째 부록으로 출판된다.) 비트겐슈타인은 자신의 글 '논리학'으로 학사 학위를 취득할 수 있기를 바랐으나, 통상적인 논문 형식을 갖추지 않으면 안 된다는 규정이 있음을 알리는 무어의 편지에 감정적으로 대응하고 학사 학위를 포기하다. (이 일로 둘의 우정은 금이 가고 15년 동안 회복되지 못한다.) 6월. 빈에 돌아와 있던 중 1차 대전 발발하다. 7월. 당시로서는 거액인 10만 크로네를 재능이 있으나 가난한 오스트리아의 예술가들에게 지원할 것을 《점화(點火)》지 편집인 루트비히 폰 피커에게 일임하여 기부하다. (수혜자는 트라클, 릴케, 달라고, 코코슈카 등이었다.) 8월. 자원입대하여 크라카우의 한 초계정에서 복무하다. 《논리-철학 논고》를 위한 노트 작성을 시작하다. 한 서점에서 발견한 단 한 권의 책인 톨스토이의 《성경》에 매혹되어 늘 품고 다니다. 그 외 니체의 《안티크리스트》를 구입해 읽다. 12월. 크라카우 요새 포병공창 사무소에서 복무하다.

1915년 7월. 포병대 정비소에서 일어난 폭발 사고로 가벼운 부상을 입다. 8월 소속 부대 이동으로, 르보프 근처 소콜에 있는 포병공창 열차에서 복무하다. 《논리-철학 논고》 작업 계속하다.

1916년 3월 초. 최전선에 보내 달라는 본인의 계속된 희망에 따라 러시아 쪽 갈리치아 전선에 착탄관측병으로 배치되다. 여러 번 훈장을 받은 끝에 9월에는 하사로 진급하다. 곧이어 올뮈츠 포병사관학교에 입교하다. 여기서 로스의 제자인 건축가 엥겔만을 알게 되다.

1917년 1월. 소위로 연대 복귀하다. 7월. 전투에서의 뛰어난 공로로 훈장을 받다.

1918년 2월. 중위로 진급하다. 3월. 이탈리아 전선으로 이동하여, 아시아고에서 전투하다. 5월. 영국에서 핀센트가 비행기 사고로 사망하다. 7월. 이전 달 전투에서의 공로로 훈장을 받다. 그 이후 두 달 동안의 휴가 중 《논리-철학 논고》의 최종 원고를 완성하다. 9월 말. 전선으로 귀환하다. 10월. 둘째 형 쿠르트(Kurt)가 전선에서 자살하다. 11월 초. 이탈리아군의 포로가 되다.

1919년 6월. 포로수용소 생활 중, 《논리-철학 논고》의 원고 사본을 러셀과 프레게에게 보내다. 8월. 포로 석방으로 빈의 집으로 귀환하다. 9월. 자신이 상속받은 막대한 재산 전부를 포기하고 첫째 누이와 둘째 누이, 그리고 전쟁에서 오른팔을 잃은 막내 형 파울(Paul)에게 양도하다. (파울은 피아니스트였는데, 그를 위해 M. 라벨이 '왼손을 위한 피아노 협주곡'을 써 준다.) 교사가 되기 위해 교원 양성소에 등록하다. 12월.

헤이그에서 러셀과 만나 《논고》에 대해서 설명하다. 러셀은 출판에 어려움을 겪고 있는 이 작품에 서론을 써주기로 하다.

1920년 7월. 교원 양성소 졸업하다. 4월에 받은 러셀의 서론에 결국 실망하고 그것을 자신의 작품에 싣기를 거부하는 바람에, 《논리-철학 논고》의 출판이 무산되다. 이후 비트겐슈타인은 출판 문제를 러셀에게 위임하다. 8월. 빈 근처의 한 수도원에서 보조 정원사로 일하다. 9월. 오스트리아 동북부에 있는 시골 마을 트라텐바흐의 초등학교 교사로 부임하다.

1921년 여름. 노르웨이를 여행하다. 11월. 오스트발트가 편집자로 있는 잡지 《자연철학 연보》의 최종호에 《논리-철학 논고》가 교정이 매우 불충분한 상태로, 러셀의 서론과 함께 출판되다.

1922년 8월. 인스부르크에서 러셀과 만나 《논리-철학 논고》 등에 관해 논의하다. 둘의 우정에 금이 가다. 가을. 잠시 하스바흐라는 작은 시골 마을을 거쳐 역시 작은 시골 마을인 푸흐베르크로 근무지를 옮기다. 영국의 케건 폴 출판사에서 《논고》의 독영 대역본이 무어가 제안한 라틴어 제목 "*Tractatus Logico-Philosophicus*"로 출판되다.

1923년 9월. 《논고》의 영어 번역 작업에서 실질적 역할을 한 당시 케임브리지 대학생 램지가 푸흐베르크의 비트겐슈타인을 방문하다. 둘이 《논고》를 같이 읽으며 대화하다.

1924년 3~10월. 케임브리지 대학의 교수로 예정된 램지가 빈에 머물면서 정기적으로 푸흐베르크의 비트겐슈타인을 방문하다. 9월. 오터탈이란 마을로 근무지를 옮기다. 12월. 빈 대학의 교수 슐리크가 만남을 원하는 편지를 보내다.

1925년 4월. 《초등학교 낱말사전》을 위한 서문을 작성하다. (비트겐슈타인이 교사가 된 이후 학생들과 함께 작업한 이 사전은 1926년에 빈에서 출판된다.) 7월. 프레게가 사망하다. 8월. 영국을 방문하여 케인즈 등을 만나다.

1926년 4월. 한 학생을 체벌한 사건으로 인해 스스로 교사직을 포기하다. 휘텔도르프의 수도원 보조 정원사로 일하다. 6월. 모친이 사망하다. 가을. 막내 누이 마르가레테(Margarethe)를 위한 집의 건축에 엥겔만과 공동 작업하게 되다.

1927년 2월. 슐릭과 처음 만나다. 이후 바이스만, 카르나프, 파이글 등 빈 학단의 일부 회원들과도 접촉하다. 철학적 성찰을 다시 시작하다. 그리고 틈틈이, 골턴에 의해 고안된 합성사진의 방법을 실험하다.

1928년 3월. 수학의 기초에 관한 브라우어의 강연들을 듣고 철학에 몰두할 새로운 자극을 얻다. 가을. 누이의 집을 완성하다. (이 집은 현재 '비트겐슈타인 하우스'로 불리며, 1970년대에 빈의 문화재로 지정되었다.)

1929년 1월. 공부를 계속하기 위해 케임브리지로 돌아가다. 2월. 약 300쪽짜리 대형 노트 18권을 구입해 철학적 사유들을 기입하기 시작하다. (이 일은 1940년까지 계속되며, 그 기록들은 현재 15권으로 기획되어 《빈 판본》(*Wiener Ausgabe*)으로 출판되고 있다.) 6월. 《논리-철학 논고》의 영역본을 학위논문으로 하여 박사 학위를 취득하고, 연구를 위한 장학금을 받다. 7월. 〈논리적 형식에 관한 몇 가지 소견〉이 《아리스토텔레스 학회보》에 발표되다. (《논고》를 제외하면 비트겐슈타인 생전에 출판된 유일한 글인 이 논문은 영국 철학자들의 연례 합동 모임에서의 발표를 위해 제출되었으나, 이 논문에 만족하지 못한 비트겐슈타인은 실제 모임에서는 수학에서의 일반성과 무한성이라는 다른 주제로 발표하였다.) 이탈리아 출신의 경제학자 스라파와 알게 되어 정기적으로 토론을 하게 되다. 11월. 케임브리지의 이교도 협회에서 윤리학에 관한 강의를 하다. (이 강의는 비트겐슈타인의 유일한 대중적 강의로, 사후에 〈윤리학에 관한 강의〉로 출판된다.) 크리스마스 이후 빈의 슐릭을 만나 자신의 생각들을 구술하다. (이것과 그 이후 비트겐슈타인이 빈을 방문할 때 슐릭과 바이스만에게 구술한 견해들이 바이스만에 의해 기록되어 비트겐슈타인 사후에 《비트겐슈타인과 빈 학단》

으로 출판된다.)

1930년 1월. 램지가 26세의 나이로 요절하다. 케임브리지에서 철학 강의 시작하다. 아울러 언어, 논리, 수학의 문제들에 관한 세미나 진행하다. 무어가 회장인 도덕학 클럽의 모임에도 다시 참여하여, 〈타자의 마음의 존재에 관한 증거〉라는 짧은 논문을 발표하다. 12월. 그동안의 작업을 토대로 봄에 제출한 《철학적 소견들》을 근거로 5년 기한의 연구교수로 선출되다.

1931~32년 강의와 세미나, 그리고 나중에 《철학적 문법》 등으로 출판되는 원고의 작성과 수정 작업을 수행하다. (이때까지의 강의 기록들은 사후 편집되어 《비트겐슈타인의 강의: 케임브리지, 1930~1932》로 출판된다.)

1933~34년 《청색 책》과 《갈색 책》을 학생들에게 강의 대용으로 구술하다. 또 그동안의 작업을 바탕으로 이른바 《큰 타자 원고》를 작성하다. (이 원고의 수정된 부분과 수정되지 않은 일부로부터 《철학적 문법》이 구성된다. 《큰 타자 원고》는 최근에 따로 출판되었다.)

1935년 가을. 연구교수 기간 만료 이후의 일자리를 알아보기 위해 소련을 방문하다. 레닌그라드 대학, 카잔 대학, 모스크바 대학에서의 철학 강의를 제의받았으나, 노동자로 살아가기를 원했던 비트겐슈타인은 포기하고 되돌아오다. 철학적 심리학에 관한 최초의 세미나를 하다. 이 해의 강의를 위해 '사적 경험'과 '감각 자료'에 관한 강의를 위한 노트들을 작성하다. (1933년부터의 강의 기록들은 사후 편집되어 《비트겐슈타인의 강의: 케임브리지, 1933~1935》로 출판된다.)

1936년 연구교수 기간 만료 후 더블린을 방문하다. 이 기간(6월) 중 슐릭이 사망했다는 소식을 듣다. 8월. 노르웨이에 있는 자신의 오두막집으로 가서 수개월 동안 머물다. 이 기간 중 《갈색 책》을 독일어로 개작하다 포기하고, 《철학적 탐구》에 착수하여 대략 지금의 1~188절에 해당하는 부분을 집필하다.

1937년 케임브리지, 빈 등을 거쳐 8월에 다시 노르웨이의 집으로 돌아가 《수학의 기초에 관한 소견들》의 일부, 〈원인과 결과〉 등이 포함된 철학적 작업을 계속하다.

1938년 3월. 오스트리아가 나치 독일에 합병됨으로 인해 독일 국민이 되기를 거부하고 영국 국적을 신청하다. 《수학의 기초에 관한 소견》과 《철학적 탐구》 등의 작업을 계속하다. 여름. 미학과 종교적 믿음에 관한 강의들을 하다. (이 강의들은 그 후의 관련 강의들과 대화들과 합쳐져 사후에 《미학, 심리학, 종교적 믿음에 관한 강의와 대화》로 출판된다.) 9월. 《철학적 탐구》의 초기 형태를 독영 대역으로 케임브리지 대학 출판부에서 출판하기로 했으나, 몇 가지 문제로 출판을 보류하다. 10월. 무어의 퇴임으로 공석이 될 교수직에 지원하다.

1939년 2월. 무어의 자리를 이어받아 케임브리지 대학 철학교수가 되다. 4월. 영국 시민권을 얻다. 6월. 여권이 나오자 유태 혈통으로 곤란에 처한 가족들의 문제를 해결하기 위해 빈, 베를린, 뉴욕으로 동분서주하다. (결국 비트겐슈타인 가족의 재산이 문제를 해결한다.) 이 해에 3학기에 걸쳐 수학의 기초에 관한 강의를 하다. (이 강의 기록은 사후 편집되어 《수학 기초에 관한 비트겐슈타인의 강의: 케임브리지, 1939》로 출판된다.) 10월부터 《철학적 탐구》에 관한 세미나를 하다.

1940년 2월. 도덕학 클럽과 수학 협회에서 논문 발표와 강의. 가을. 《철학적 탐구》에 관한 세미나.

1941년 10월. 비트겐슈타인의 인생에서 큰 의미가 있었던 제자이자 친구인 스키너가 병사하다. 11월부터 런던의 가이 병원에서 잡역부를 거쳐 실험실 조수로 일하다. (그는 2차 대전 발발 이후 줄곧, 학교에서 가르치는 일 말고 전쟁과 관련된 의미 있는 노동을 하고 싶어 했다.) 이때부터 1944년까지 교수로서의 정규 강의는 중단하고 주말에 케임브리지에서 사적인 세미나만 계속하다.

1942년 4월. 담석 제거 수술을 받다.

1943년 4월 이후 뉴캐슬의 병원 의학연구실로 옮겨 일하다. 9월. 《철학적 탐구》를 《논리-철학 논고》와 합쳐 출판하려고 하다. (이 계획은 케임브리지 대학 출판사에서 승인받지만, 《논고》를 발행한 케건 폴 출판사와의 저작권 문제로 결국 실행되지 못한다.)

1944년 2월. 케임브리지로 돌아가다. 3~9월. 스완시에 있는 제자이자 친구인 리스의 집에서 대부분의 시간을 보내며 《철학적 탐구》를 다듬다. (지금의 《탐구》 189~421절이 추가되었다.) 10월. 케임브리지 대학 교수로 복귀하다. 11월. 무어에 이어 도덕학 클럽의 회장이 되다.

1945년 1월. 《철학적 탐구》의 머리말을 새로 쓰다. 그리고 이 해에 현재 《탐구》의 421~693절을 이루는 부분을 추가하여 제1부를 완성하다. 또 심리학의 철학에 관한 2시간짜리 세미나를 매주 2회 진행하고, 사후 《심리학의 철학에 관한 소견들》 제1권으로 출판되는 타자 원고들을 작성하다.

1946년 심리철학에 관한 고찰들을 계속하며 사후 《심리학의 철학에 관한 소견들》 제2권으로 출판되는 내용들을 작성하기 시작하다. 아울러 수학 기초에 관한 세미나와 심리학의 철학에 관한 세미나를 진행하다. (후자의 세미나는 사후에 《철학적 심리학에 관한 비트겐슈타인의 강의 1946~1947》로 출판된다.) 10월. 철학적 문제의 존재 여부를 놓고 도덕학 클럽에서 포퍼와 충돌하다. 11월. 도덕학 클럽에서 '철학이란 무엇인가?'에 관해 강의하다. 이 해에 벤 리처즈라는 의대 학부생에게 사랑을 느끼다.

1947년 5월. 옥스퍼드의 조웨트 학회에서 초청받아 토론하다. 여름. 이전부터 염증을 내던 교수직(특히 영국에서의 교수직)을 그만두고 《철학적 탐구》의 완성에 전념하기로 결심하다. 종전 후 처음으로 오스트리아를 방문하다. 10월. 사직서를 제출하다. (사직서는 12월에 수리된다.) 12월. 아일랜드에서의 1년 반 동안의 체류를 시작하다.

1948년 아일랜드의 외진 시골에서 절대적 고독 속에서 생활하며 철학에 몰두하다. 9월. 암에 걸린 큰누이 헤르미네(Hermine)를 만나기 위해 빈을 방문하다. 10월. 케임브리지에서 그동안 아일랜드에서 작업한 원고들을 구술하다. 11월. 더블린에 머물며 사후 《심리학의 철학에 관한 마지막 글》로 출판되는 글들을 쓰다. 12월. 유언장을 작성하다.

1949년 4월. 임종이 가까운 큰누이를 보기 위해 빈을 방문하다. 7월. 제자이자 친구인 맬컴의 오래전부터의 초청으로 미국을 방문하다. 확실성에 관한 토론과 대화들을 나누다. 이 기간 동안 심한 병을 앓다. 10월. 영국으로 되돌아가 전립선암으로 진단받다. 12월. 크리스마스 무렵에 빈의 가족들을 방문하다. 이 해에 《철학적 탐구》 제2부 최종판에 해당하는 내용을 구술해 타자 원고를 만들다.

1950년 1월. 괴테의 색채론을 읽고 사후 《색채에 관하여》의 일부로 출판되는 소견들을 쓰다. 2월. 큰누이가 숨지다. 3월. 영국으로 돌아와 런던에 머물다. 4월 초에 케임브리지에서 제자이자 그의 후임자인 폰 브리크트의 집에 머물다가, 4월 말부터는 옥스퍼드에 있는 제자 앤스콤의 집으로 옮겨 머물다. 여름. 확실성의 문제에 관한 고찰을 재개하다. 10월. 벤 리처즈와 몇 주간 노르웨이를 여행하다. 11월. 케임브리지에 있는 주치의 베반 박사의 집으로 거처를 옮기다. 12월. 크리스마스를 빈의 가족들과 함께 보내다.

1951년 1월. 옥스퍼드에서 리스를 유언집행관으로 하고, 리스, 앤스콤, 폰 브리크트를 문헌관리자로 하는 새 유언장을 작성하다. 2월 8일 이후 케임브리지의 베반 박사 집에서 지내며 색채의 문제와 확실성의 문제에 관하여 작업하다. 4월 27일에 《확실성에 관하여》의 마지막 부분을 쓰고 다음 날 의식을 잃다. 4월 29일 아침에 사망하다. 5월 1일. 케임브리지의 성(聖) 자일즈 교회 묘지에 묻히다.

✻

찾아보기[1]

1 숫자들은 본문의 절 번호들을 가리킨다.

ㄴ

ㅂ

ㅍ

ㅎ

비트겐슈타인 선집 6

확실성에 관하여

초판 1쇄 펴낸날 | 2006년 9월 30일
개정1판1쇄 펴낸날 | 2020년 10월 28일
개정1판3쇄 펴낸날 | 2023년 11월 2일

지은이 루트비히 비트겐슈타인
옮긴이 이영철

펴낸이 김현태
펴낸곳 책세상
등록 1975년 5월 21일 제2017-000226호
주소 서울시 마포구 잔다리로 62-1, 3층(04031)
전화 02-704-1251
팩스 02-719-1258
이메일 editor@chaeksesang.com
광고·제휴 문의 creator@chaeksesang.com
홈페이지 chaeksesang.com
페이스북 /chaeksesang **트위터** @chaeksesang
인스타그램 @chaeksesang **네이버포스트** bkworldpub

ISBN 979-11-5931-548-0 04100
979-11-5931-476-6 (세트)

* 잘못되거나 파손된 책은 구입하신 서점에서 교환해드립니다.
* 책값은 뒤표지에 있습니다.